Bajo la sombra y la oscuridad: Los caídos en revolución nacionalista de 1950 en Utuado.

Rubén Maldonado Jiménez

2da. edición, abril de 2024. Revisada y aumentada

3ra. edición, mayo de 2024. Revisada y aumentada

ISBN: 9798858483366

Portada

Foto de la calle Washington en Utuado

Dirección electrónica

rmj65469@gmail.com

ÍNDICE

PÁGS.

Agradecimientos

Quiero agradecer los comentarios y sugerencias del profesor Rogelio Escudero, retirado de la Facultad de Estudios Generales, Universidad de Puerto Rico, Recinto de Río Piedras, y que actualmente enseña el curso Nacionalismo y Literatura. Asimismo, al profesor Michael González-Cruz, autor del libro *Nacionalismo revolucionario puertorriqueño*, 2006 y en particular a las largas conversaciones, atinadas notas y aportaciones del abogado retirado Luis Alberto Torres Rodríguez. Mi agradecimiento al personal del Archivo General de Puerto Rico y de la Colección Puertorriqueña del edificio y biblioteca general José Manuel Lázaro de la Universidad de Puerto Rico, Recinto de Río Piedras. En particular a los géneros y atentos estudiantes que ahí trabajan. Agradezco la cooperación brindada por la Legislatura Municipal de Utuado, entre ellos, a su secretario Mariano González, su presidente José Lajara Sanabria, y atento personal en la localización de la información solicitada en junio de 2023. En especial, el apoyo de mi adorable y querida hija Yosmar Maité Maldonado y de mi nieto Alexis Joel Mercado Maldonado.

Nota:

Para esta tercera edición revisada y aumentada se ha revisado el Apéndice 1, "Orden de los caídos…". Se reordena el civil José Álvarez de Jesús. Asimismo, se corrigen y se aclaran y amplían otros aspectos, entre éstos el concepto que a mi parecer mejor define los acontecimientos de 1950 y la noción de nacionalismo moderno.

Introducción

El presente ensayo comenzó a germinar en el 2020, cuando arreció fuertemente la pandemia de COVID-19 en Puerto Rico. Encontrándome enclaustrado en mi residencia para evitar su contagio, investigué por la Web, la procedencia de los inmigrantes extranjeros registrados en el censo poblacional de 1910 que se arraigaron en la jurisdicción de Utuado. Topándome con los ancestros del líder nacionalista Heriberto Castro Ríos, segundo Comandante de los Cadetes de la República y capitán de los combatientes nacionalistas de 1950 en Utuado, aprendí que su abuelo materno, el gallego Pedro Castro González, era el más antiguo de los inmigrantes registrados por el mencionado censo, que se avecinaron en el barrio Viví Abajo de Utuado. El señalado Castro Ríos fue el primer nacionalista caído en Utuado durante la Revolución Nacionalista de 1950. El Dr. Federico José Maestre certificó como causa de su muerte a "Bullet Wound Chest" (Herida de Bala en el Pecho) resultado de un tiroteo que ocurriera a las tres de la tarde del 30 de octubre de 1950 entre policías y nacionalistas atrincherados en la residencia de Damián Torres Acevedo, presidente de la Junta Municipal Nacionalista, que para ese tiempo, quedaba frente a la parte sur de la plaza de recreo Luis Muñoz Rivera de Utuado. Allí fueron llevados luego de haberse rendido y se complementó su humillante registro, según se deduce de los testimonios de los sobrevivientes.

Antes de sumergirnos en el corazón de este trabajo, veamos en qué consiste y cuáles son sus alcances. Aquí se intenta conocer cuántos y quiénes fueron los caídos en Utuado vinculados a la

Revolución Nacionalista de 1950. Además de ese objetivo central, se tratará de contestar algunas preguntas específicas que surgieron antes, durante y después del análisis de los hallazgos encontrados. ¿Cuál era el contexto internacional y nacional en que se produjo la Revolución Nacionalista de 1950 en Puerto Rico? ¿Cuántos y quiénes fueron los caídos más allá de los combatientes nacionalistas en Utuado? ¿Por qué fue dominante en la Revolución Nacionalista la estrategia de guerra directa y de carácter frontal? ¿Se conspiró para asesinar a los nacionalistas caídos en las inmediaciones donde se unen las calles Washington y Betances de Utuado?[1] ¿Intermediaron razones de intolerancia política? ¿Quién fue el autor o autores intelectuales de esos asesinatos? ¿Cuál era la jerarquía de los conspiradores? ¿Dicen la verdad los certificados de defunción de los caídos? ¿Hubo manejo irregular de éstos para encubrir la verdad? ¿Qué nombre darle a lo que pasó en ocho pueblos de Puerto Rico, a partir de fines de octubre y principios de noviembre de 1950?

Entre las fuentes primarias que dan apoyo a esta investigación se encuentran: certificaciones de defunción, de nacimiento, y actas bautismales, matrimoniales encontradas en FamilySearch.com. Asimismo, varios censos poblacionales de Puerto Rico, la documentación consultada en el Archivo de la Legislatura Municipal de Utuado y varias fuentes secundarias. Entre estas últimas, se encuentran los testimonios directos de varios de los nacionalistas sobrevivientes, contenidos en el libro de Miñi Seijo

[1] Conspirar podría contener la planificación. El cerebro o cerebros estarían al nivel de conspirar y la policía cerca de lo que podría entenderse planificar y ejecutar las ideas. En otras palabras, parece ser sinónimo, pero no lo es.

Bruno, *La insurrección nacionalista en Puerto Rico-1950*, (1989) y en el documental *1950: La insurrección nacionalista* (2018) del joven cineasta e historiador, José Manuel Dávila Marichal. Las entrevistas hechas por Seijo Bruno a varios de los sobrevivientes de la Revolución Nacionalista de 1950 en Utuado, según las notas al calce del Capítulo IX, UTUADO de su texto, se hicieron entre el 1973 y 1974, es decir, dos décadas después de los acontecimientos. A la luz de sus testimonios, sus memorias en torno a esos eventos son generalmente homogéneas o similares; las diferencias y olvidos son insubstanciales. Encontrándose en sus testimonios más homogeneidad y similitudes que diferencias. Lo que hace de esa fuente, directa y presencial una muy importante y fundamental para intentar reconstruir y explicar las circunstancias de los caídos en Utuado.

Una proyección de sus edades, según aparecen en los certificados de defunción contenidos en la tabla número 3, sugieren que, al momento de ser entrevistados, su edades oscilaban entre los 50 a 60 años. Gilberto Martínez Negrón era el único de los sobrevivientes que tenía 20 años para el 1950 – es decir, contaba con menos de 45 años al momento de ser entrevistado por Seijo Bruno.[2] Las entrevistas hechas por Dávila Marichal en el documental del 2018 son relativamente cercanas a este estudio finalizado en su primera edición en marzo del 2024. Pero antes de buscar respuestas a las hipótesis que guían esta investigación y a

---

[2] "United States Census, 1950", , FamilySearch (https://www.familysearch.org/ark:/61903/1:1:6F6H-V1B2 : Fri Oct 06 04:04:28 UTC 2023), Entry for Francisca Martinez Madez and Georgian De Jesus, 10 April 1950. En este censo se menciona que Martínez Negrón tenía 20 años para el 1950. De ocupación obrero agrícola en finca de tabaco.

las preguntas mencionadas, miremos de manera general el trasfondo que dio pie a la Revolución Nacionalista de 1950 en Puerto Rico.

Del discurso paternalista al revolucionario: Pedro Albizu Campos le imparte nuevos y radicales rumbos al Partido Nacionalista Puertorriqueño

El Partido Nacionalista Puertorriqueño (PNPR) se fundó en el 1922. En 1924, Pedro Albizu Campos abandona el Partido Unión de Puerto Rico cuando se elimina de su programa político el ideal de independencia e ingresa al PNPR (que en ese entonces presidía Federico Acosta Velarde) convirtiéndose en su vicepresidente, y unos años después en el 1930, en su presidente.[3] Podría decirse en términos generales, que antes de Albizu Campos convertirse en presidente del PNPR, este se caracterizó de acuerdo con la enumeración de José Manuel Dávila Marichal: 1) por la "resistencia cultural al proyecto de asimilación del gobierno estadounidense", 2) la participación activa en la lucha contra la imposición del inglés como vehículo de enseñanza en las escuelas públicas, 3) la defensa de los símbolos de la identidad nacional de Puerto Rico, 4) el estudio y la reflexión de la realidad histórica puertorriqueña, 5) la organización de capítulos de la Juventud Nacionalista; además se dedicaron a establecer contactos con posibles aliados de la lucha por la independencia a nivel internacional.[4]

[3] Ver parte de esto en Margenat, Alfredo, "Pedro Albizu Campos muere a los 73 años", periódico *El Mundo*, jueves, 22 de abril de 1965. Acosta Velarde, fue uno de los fundadores del PNPR, el cual presidió entre 1925 y 1928.

[4] Dávila Marichal, José Manuel, *Pedro Albizu Campos y el ejercito libertador del Partido Nacionalista de Puerto Rico (1930-1939)*, Ediciones Laberinto, 2022, 47.

El PNPR enfrentó grandes dificultades y apenas ocho años después de su fundación en el 1922: "la colectividad no contaba ni siquiera con un archivo, ni una secretaría organizada, y sus finanzas eran en extremo precarias".[5] A esto se le sumaba la actitud de conciliación de algunos líderes del partido con el régimen colonial, denunciada por Albizu Campos: *no hay margen para actitud fraternal y solidaria con los enemigos de la patria. Hay que ponerse de frente al invasor valientemente, de lo contrario estaremos destinados a desaparecer irremediablemente.*[6] En otras palabras, al momento de ser elegido Albizu Campos a la presidencia del PNPR, este atravesaba por una crítica situación material e ideológica. Será bajo su presidencia que el partido se reorganiza y se le da mayor impulso a la organización de la juventud y estudiantes que creían en la independencia de la Isla.[7]

En la asamblea del 11 de mayo de 1930, en la que Albizu Campos fuera elegido presidente, no sólo hizo fuertes críticas al liderato del PNPR – que llevó al presidente José Coll y Cuchí a renunciar – sino que proponía un nacionalismo diferente. Albizu decía a los presentes: "hay que acabar con este nacionalismo de cartón y hay que fomentar un nacionalismo de verdad, de acción, informado de un espíritu de sacrificio, de patriotismo acrisolado".[8] Es decir, un nacionalismo revolucionario y antiimperialista. Contrario al eurocéntrico, se proponía un

[5] Ibid.
[6] Ibid., 48
[7] Ibid., 47.
[8] Según citado en Ibid., 48.

nacionalismo basado en el amor a la patria y a sus valores tradicionales como la religión, la moral, la historia y la cultura.

De aquí en adelante, el PNPR adoptaría un nacionalismo revolucionario y antimperialista, incluyendo la lucha armada como método de resistencia válido, para alcanzar la independencia y soberanía política de la Isla. Algunos aspectos de esa postura probablemente incidieron en el poco apoyo electoral que recibiera el PNPR en las elecciones de 1932 y que a su vez incidiera en una mayor radicalización al rechazar participar en las elecciones coloniales. Revivida en la Isla a partir de la fundación del MPI en el 1959 y desde entonces, adoptada por los grupos más radicales de la izquierda puertorriqueña.[9]

Para el PNPR, era indispensable que la Isla pudiera hacer uso de su derecho a la autodeterminación y la soberanía política para avanzar en su desarrollo económico, social y cultural, es decir, avanzar hacia la modernización. Desde esa óptica, el PNPR rechazaba los planes de la metrópoli imperial de imponer un nuevo modelo colonial llamado "Estado Libre Asociado" (ELA), que pretendía disfrazar la situación colonial de Puerto Rico ante las Naciones Unidas y el mundo. Rechazaba el colonialismo y el modelo económico propuesto por la Ley Pública 600 del 3 de julio de 1950, que creó el ELA. Asimismo, denunciaba la indiferencia con que la Organización de las Naciones Unidas (ONU) manejaba su promesa de acabar con el colonialismo; el

[9] Sobre la fundación del Movimiento Pro Independencia, ver Félix Ojeda Reyes, Puerto Rico. "Algunos apuntes para una historia del MPI (Movimiento Pro Independencia" en Resumen Latinoamericano, 28 junio, 2020, https://www.resumenlatinoamericano.org

uso de la Isla en beneficio de los grandes intereses económicos extranjeros en detrimento a la economía y producción local;[10] su militarización e imposición de la ciudadanía americana y con ésta del servicio militar obligatorio a los puertorriqueños.

La llegada de Albizu Campos a la presidencia del PNPR se dio en el contexto de la gran depresión económica de la década 1930, periodo en que se desataron varias huelgas en la Isla. Entre ellas, la de "las trabajadoras de la industria de la aguja, los estibadores de los muelles, los panaderos, los conductores de taxis y camionetas o *trucks* de pasajeros, la de estudiantes universitarios y trabajadores cañeros en 1934".[11] Estos últimos, hicieron un acercamiento a "Pedro Albizu Campos para proponerle que abanderara su movimiento".[12] Eso, además de reflejar la confianza en su liderato, reconocía la influencia del nacionalismo albizuísta en el movimiento obrero. Para decirlo de otro modo, esa huelga fortaleció el nacionalismo liderado por Albizu Campos, que se había opuesto al acuerdo entre los sindicatos y los patronos defendiendo los intereses de los trabajadores, logrando así un aumento salarial de 85 centavos a $1.25 por día.

---

[10] El anuncio de LUMA, entre finales de mayo y principios junio de 2023, en aumentar el costo de energía eléctrica en un 30 por ciento, ha unido más que nunca antes a los pequeños y medianos comerciantes y otros sectores de la sociedad civil en Puerto Rico. Se ha mencionado en la prensa del país, que para muchos de los pequeños comerciantes implicaría desaparecer. De materializarse ese aumento, tendría lo que llamaban un efecto cascada o de forma escalonada que se reflejará en un aumento del costo de la vida de los residentes en Puerto Rico y en particular a los más vulnerables.

[11] Ver Margarita Aurora Vargas Canales, "Mirador Latinoamericano", La revuelta también vino de la caña: el caso de Puerto Rico en https://www.researchgate.net/publication/262650180_La_revuelta_tambien_vino_de_la_cana_el_caso_de_Puerto_Rico

[12] Ibid.

El PNPR se convirtió en una alternativa política para muchos obreros, desilusionados con el Partido Socialista y la Federación Libre de Trabajadores, que habían traicionado la causa obrera. El arraigo del discurso nacionalista fue visto como una amenaza por la metrópoli estadounidense en Puerto Rico, suscitando frecuentes encontronazos entre ambos bandos que fueron subiendo su tono muy rápidamente según establece el historiador Dávila Marichal. Ejemplos de ello se encuentran en varias disputas y enfrentamientos por la bandera de Puerto Rico durante la década de 1930. Sobre todo a partir de 1934 con las conspiraciones en contra de la vida de Juan Antonio Corretjer, secretario general del Partido Nacionalista, y Pedro Albizu Campos desde que el presidente Franklin D. Roosevelt designara como gobernador de Puerto Rico al general Blanton Winship y coronel de la policía insular a Elisha Francis Riggs.[13]

Las fricciones aumentaron cuando fueron asesinados cuatro nacionalistas el 23 de octubre de 1935, en lo que se conoce como La Masacre de Río Piedras. En respuesta a esos asesinatos, los jóvenes nacionalistas Hiram Rosado de Quebradillas y Elías Beauchamp de Utuado, ajusticiaron al coronel de la policía Elisha Francis Riggs. Horas después, esos dos jóvenes fueron arrestados y llevados al cuartel general de la policía que entonces estaba localizado en la calle San Francisco cerca a la Fortaleza en el

[13] Dávila Marichal, *Pedro Albizu Campos y el ejercito libertador del Partido Nacionalista de Puerto Rico*, 203-207.

Viejo San Juan donde fueron vilmente asesinados.[14] Aproximadamente una hora y media después, se sumó el asesinato de otro nacionalista, Ángel Mario Martínez en Utuado y, en menos de dos semanas después, "el 4 de marzo de 1936, arrestaron a todo el liderato nacionalista acusándolo de conspirar para derrocar el régimen y enviaron a Pedro Albizu Campos a prisión en EE. UU.".[15] Las fricciones llegaron a sus momentos de mayor intolerancia política cuando se le negó al PNPR su solicitud para conmemorar el Día de la Abolición de la Esclavitud en marzo de 1937 provocando la llamada Masacre de Ponce el 21 de marzo de 1937 sintetizada por Michael González-Cruz de la siguiente manera:

> siendo Domingo de Ramos, la policía colonial comandada por el Gobernador, General Blanton, le ordena al alcalde de Ponce prohibir la marcha nacionalista pautada para ese día. Mientras se organiza la marcha la Policía dispara indiscriminadamente contra los nacionalistas completamente desarmados y veinte personas caen abatidas, entre ellas mujeres y niñas que miraban el desfile y dos policías víctimas de su fuego cruzado.[16]

Desatándose una mayor y constante persecución de los miembros y simpatizantes del movimiento nacionalista y del independentismo en general, desencadenando en un sin número de arbitrarios allanamientos y arrestos en violación a sus derechos civiles y políticos. Los nacionalistas fueron víctimas de la Ley 53 de 1948, conocida como la Ley de la Mordaza, que prohibía cualquier expresión a favor de la independencia de

---

[14] Ver "Militancia Nacionalista" en *José Torres Martinó, Voz de varios registros*, Editorial Universidad de Puerto Rico y Casa Candina, 2006, 85.
[15] Michael González-Cruz, *Nacionalismo revolucionario puertorriqueño*, Academia.com, 21.
[16] Ibid., 22.

Puerto Rico.[17] El *21 de mayo de 1948 se presentó ante el Senado de Puerto Rico en un proyecto de ley que restringiría los derechos de los movimientos independentistas y nacionalistas en la isla. El Senado, controlado por el Partido Popular Democrático (PPD) y presidido por Luis Muñoz Marín, aprobó ese día el proyecto de ley.*[18] Parecida a la ley anticomunista, la Ley Smith, aprobada en los Estados Unidos en 1940, fue convertida en ley el 10 de junio de 1948 por Jesús T. Piñero, el gobernador de Puerto Rico designado por los Estados Unidos,.[19]

Muchos nacionalistas fueron arrestados sin causa probable, registrados sin orden judicial, encarcelados sin juicio justo, torturados y asesinados por las fuerzas policiales y militares.[20] Acciones contrarias a la Constitución de Estados Unidos y a la Declaración Universal de los Derechos Humanos. El PNPR, denunciaba que el gobierno colonial pretendía engañar al mundo con la creación del ELA, que no era más que una forma disfrazada de colonia.

Camino a la Revolución Nacionalista

La década de 1950 fue un período de grandes cambios en el contexto internacional. Había terminado la Segunda Guerra Mundial y se recuerda como una época próspera de recuperación después de la gran depresión económica de la década de 1930. La

---

[17] Dávila Marichal, José Manuel, "Insurrección nacionalista de 1950" en https://enciclopediapr.org/content/insurreccion-nacionalista-1950/ y "Partido Nacionalista de Puerto Rico - Nationalist Party of Puerto Rico" en https://es.abcdef.wiki/wiki/Nationalist_Party_of_Puerto_Rico

[18] https://web.archive.org/web/20170330162442/http://www.topuertorico.org/history5.shtml

[19] Ibid.

[20] Ibid.

guerra fría entre los bloques capitalista y socialista ganaba cada vez más fuerza. La Unión Soviética y Estados Unidos, líderes de los dos bloques: el bloque Occidental (occidental-capitalista) liderado por Estados Unidos, y el bloque del Este (oriental-socialista) liderado por la Unión Soviética. En ese contexto internacional, en Puerto Rico, además de reprimir a la disidencia, la metrópoli se vio forzada a cambiarle el traje a la colonia. Primero, simulando un gobierno de apariencia democrática al nombrar al puertorriqueño Jesús T. Piñero gobernador de la Isla y, un poco más tarde, permitir a los puertorriqueños la selección de su gobernador en las elecciones de 1948, aunque bajo los estatutos del ELA de 1952, no se derogara su estatus de territorio no incorporado, sujeto a los poderes plenarios del Congreso de los Estados Unidos.

Con el regreso en 1947 de Albizu Campos a Puerto Rico, tras 11 años mayormente prisionero en EE. UU., el discurso nacionalista se fortalece y se renuevan los preparativos con el objetivo de demostrar que había oposición a los planes para la solución del estatus con el propuesto ELA.[21] En su estrategia política, el

[21]Aun cuando se reconoce el resurgir del discurso nacionalista con el regreso de Albizu Campos, se ha reflexionado muy poco sobre cómo su ausencia lo afectó. Un contraste entre la cantidad de Juntas Municipales Nacionalistas que había al 7 de junio de1937, cuando Albizu Campos fue trasladado a la Penitenciaría de Atlanta, Georgia para cumplir con las sentencias impuestas por la Corte Federal de Estados Unidos en Puerto Rico. De donde salió el 3 de junio de 1943, muy enfermo y fue recluido en Hospital Columbus de Nueva York. Sobre el encarcelamiento ver "Cronología de la acusación, juicios y condena de Albizu Campos por la corte de EEUU en Puerto Rico", periódico *Claridad*, miércoles, 17 de Agosto de 2016 20:34 en https://www.minhpuertorico.org/index.php/noticias/55-noticias/5243-claridad

PNPR se proponía tomar por asalto varios cuarteles policiacos para tratar de detener los allanamientos y arrestos arbitrarios de sus miembros y simpatizantes. Luego resistir algún tiempo y retirarse a Utuado… por entender que este municipio era el más estratégico, mejor situado y con mejores condiciones de agricultura para poder sostener y continuar la lucha; persistir un mes, de modo que la comunidad internacional tomara cartas en el asunto mediante la Organización de las Naciones Unidas.[22] Es decir, generar una crisis en la Isla que obligara a los Estados Unidos con la presión de la comunidad internacional a reconocer la condición colonial de Puerto Rico y ver la independencia como un derecho inalienable y natural de los pueblos. En Utuado conforme con Miñi Seijo: "iban a converger las fuerzas revolucionarias una vez atacaran en sus respectivos pueblos".[23] No obstante, conforme con Eladio Torregrosa: "nadie llegó a Utuado" a darle apoyo a los combatientes nacionalistas y continuidad a los planes trazados.[24] Ante la continua persecución y arrestos, en voz del nacionalista Ricardo Díaz Díaz, se vieron "forzados a pelear…"[25], a adelantar el levantamiento del pueblo

---

con las que había organizadas a su regreso en el 1947, contribuiría a arrojar luz para saber en qué pueblos y regiones de la Isla estaban sus fortalezas y debilidades.

[22] Rodríguez González, Glorimar, *Historia del Partido Nacionalista en Utuado*, Editorial y Taller Abacoa, 2013, 121-22.

[23] Miñi Seijo Bruno, *La insurrección nacionalista en Puerto Rico-1950*, Editorial Edil, Puerto Rico, 1989, 139.

[24] Ibid., Hasta ahora se conoce que llegó de Jayuya Blanca Canales con Carlos Irizarry Rivera herido en busca de atención médica.

[25] José Manuel Dávila Marichal, 1950: La Insurrección Nacionalista, DOCUMENTAL, 2018.

que el PNPR venía planificando para llevarse a cabo en algún momento antes o en el 1952.[26]

Los días 4 y 5 de noviembre de 1950, habían sido seleccionados por el gobierno de Puerto Rico "para inscribir a los nuevos votantes que participarían en los eventos electorales que habría que celebrarse para establecer el "Estado libre Asociado".[27] De acuerdo con Ramón Medina Ramírez, quien a mediados de la década de 30 y la de principios del 40 presidiera interinamente el PNPR, y a algunos de los testimonios de los nacionalistas sobrevivientes a la Revolución Nacionalista, "los acontecimientos habrían de precipitarse" ante la ola cada vez más intensa de provocaciones, allanamientos de hogares y arrestos de nacionalistas…"[28] La cual alcanzó mayor visibilidad después de la aprobación de la "Ley de la mordaza", llamada así por el representante Leopoldo Figueroa del Partido Estadista Puertorriqueño y único miembro de la Cámara de Representantes de Puerto Rico que no pertenecía al PPD, al considerarla una ley represiva y que violaba la Primera Enmienda de la Constitución de los Estados Unidos que garantiza la libertad de expresión.[29]

Además esta ley declaraba delito grave el fomentar, abogar y aconsejar o predicar, voluntariamente o a sabiendas, la necesidad,

---

[26] Sobre este particular ver "Conclusión" en Seijo Bruno, *La insurrección nacionalista en Puerto Rico-1950*, 242.
[27] Dávila Marichal, "Insurrección nacionalista de 1950".
[28] Ramón Medina Ramírez, Capítulo 1, "La revolución de 1950" en *El movimiento libertador en la historia de Puerto Rico*, Ediciones Puerto, 2016, 301-306.
[29] Sobre los testimonios de los nacionalistas ver notal al calce número 1 del Capítulo 1V, "Arrestos en Santurce" de la historiadora Seijo Bruno, *La insurrección nacionalista en Puerto Rico-1950*, 76.

deseabilidad o conveniencia de derrocar, destruir o paralizar el gobierno insular por medio de la fuerza o la violencia. Incluía como delito el imprimir, publicar, editar, vender, exhibir u organizar o ayudar a organizar cualquier sociedad, grupo o asamblea de personas que fomenten la intención de derrocar, paralizar o destruir el gobierno insular. Como penalidad establecía un máximo de 10 años de cárcel, $10,000 de multa o ambas por cometer dichos actos según dirimido por un tribunal de derecho. También considerada por el dicho representante Figueroa, una "burda copia de la Ley Smith norteamericana y …una violación a los derechos civiles".[30] Bajo el amparo de la ley de la mordaza, luego de la "gran resonancia" que tuvo la transmisión radial de la conmemoración del natalicio de Vicente Miguel Valero de Bernabé Pacheco, el 26 de octubre de 1950, "ese día en horas de la noche, comenzó la Revolución Nacionalista de 1950", produciéndose arrestos masivos de simpatizantes de la independencia de Puerto Rico.[31] A los arrestos le siguió el 28 de octubre de 1950 la fuga del presidio de más de 500 encarcelados que se batieron con los guardias y 110 se escaparon del Oso Blanco de Río Piedras a todas partes de la isla.[32] Hubo enfrentamientos en los pueblos Peñuelas, Mayagüez, Naranjito, Arecibo, Ponce, Jayuya, San Juan y en la Casa Blair en Washington D. C.. En Jayuya Blanca Canales llegó a declarar la "República Libre de Puerto Rico". Ahora intentaremos ver qué

---

[30] Sobre el particular ver Ivonne Acosta, *La Mordaza*, Editorial Edil, Río Piedras, Puerto Rico, 1989.

[31] Medina Ramírez, "La revolución de 1950" en *El movimiento libertador en la historia de Puerto Rico*, 301-306.

[32] https://guerracontratodoslospuertorriquenos.wordpress.com/revolution/

pasó en Utuado, desde la reflexión de los caídos vinculados a la Revolución Nacionalista de 1950.

En Utuado, a pesar de las discrepancias y a sabiendas de que los estaban esperando, se continuó con los planes trazados

Utuado fue el pueblo en donde se registró la mayor cantidad de caídos durante la Revolución Nacionalista de 1950 en Puerto Rico.[33] Hasta donde se ha podido documentar, murieron diez (10) personas: seis (6) combatientes nacionalistas, cinco de ellos residentes en Utuado y uno en Jayuya, un bombero, un civil, un miembro de la Guardia Nacional y un policía insular.[34] Además de registrarse varios heridos: Gilberto Martínez, José Avilés Massanet, Tomás González Candelaria, Eladio Rivera Albarrán, Ángel Colón Feliciano y José Ángel Medina. Algunos de ellos fueron atendidos en las Clínicas San Miguel y Carrasquillo, Hospital Municipal Catalina Figueras de Utuado y otros trasladados en ambulancias al pueblo Arecibo.[35] Los

---

[33] De acuerdo con Dávila Marichal "la Insurrección dejó a su paso un saldo de 48 heridos: 23 policías, 6 miembros de la Guardia Nacional, 9 nacionalistas y 10 civiles. También dejó a su paso un saldo de 29 muertos: 7 policías, 1 guardia nacional, 16 nacionalistas y cinco civiles". Ver "Insurrección nacionalista de 1950", en *Enciclopedia de Puerto Rico*, https://enciclopediapr.org/content/insurreccion-nacionalista-1950/

[34] Ver el orden de los caídos en Utuado en el Apéndice 1, (Orden de los caídos en la Revolución Nacionalista de 1950 en Utuado, conforme con sus respectivos certificados de defunción).

[35] Medina Ramírez, *El movimiento libertador en la historia de Puerto Rico*, 2016, 324, citando al periódico *El Imparcial* menciona que en Utuado hubo "11 muertos y más de 20 heridos". Pero hoy según señalado, no se ha podido constatar más de 10 personas muertas, entre ellos 6 nacionalistas, incluyendo al jayuyano, un policía, un miembro de la guardia nacional, un bombero y un civil. Además de 6 nacionalistas heridos.

nacionalistas sobrevivientes fueron arrestados y condenados a cumplir prisión como ilustra Glorimar Rodríguez.[36]

Los nacionalistas que participaron en la Revolución de 1950 en Utuado partieron de la residencia del dirigente de Cadetes de la República, Heriberto Castro Ríos, en el sector Bubao del barrio Viví Abajo, a "las doce menos cuarto, a pie, hacía el cuartel de la policía".[37] Pero antes, se tenía planificado quemar el correo federal y luego, con la organización de dos grupos, seguir al cuartel de la policía. Uno de ellos lo atacaría por la calle Antonio R. Barceló y el otro, por la calle República, hoy Manuel Palop Soler. Otros dos grupos estarían a cargo de las armas; pero esos no llegaron, según el testimonio del nacionalista sobreviviente José Ángel Medina:

> Del correo se iría al cuartel de la policía. En aquella época el cuartel se encontraba en la calle Washington esquina Antonio R. Barceló. Heriberto había dado la orden de que lo atacarían dos grupos. Nosotros iríamos por la calle Barceló disparando para atraer la atención de la policía. Eso para que no hubiera guardia dormido, que estuvieran en combate. ¡Para no cogerlos desprevenidos! ¡Para no cogerlos a traición! El otro grupo se dirigiría al cuartel por la puerta de enfrente para quitarles las armas a la policía. Ese grupo iba por la calle Dr. Cueto, subiría por la calle República. En eso actuó bien. Pero le fallaron. Las otras dos divisiones, porque eran dos divisiones más, y eran las que tenían las armas, no llegaron. Automáticamente traicionaron a Heriberto Castro.[38]

---

[36] Rodríguez González, *Historia del Partido Nacionalista en Utuado*, menciona en "Los arrestos y el juicio de los nacionalistas utuadeños"(nombre, delito, resultado, sentencia), ver página164 nota alce 321 de su texto y tabla editada por ella en la páginas 165-167.

[37] Ver testimonio de Ángel Colón Feliciano en Seijo Bruno, *La insurrección nacionalista en Puerto Rico-1950*, 140.

[38] Ibid., 142.

Dice Glorimar Rodríguez González que en la residencia de Castro Ríos "temprano en la mañana del 30 de octubre, se reunieron 32 nacionalistas... hubo desacuerdos entre los presentes" sobre el plan a seguir y el grupo se fragmentó y los que tenían las mejores armas se fue... partiendo 12 hombres, unos por la Avenida Esteves y otros por el Río Viví en dirección al pueblo".[39] Ellos fueron: Gilberto Martínez de 20 años, los hermanos Julio y Ángel Colón Feliciano, Antonio "Tony" Ramos Rosario, el Comandante de los Cadetes de Utuado Heriberto Castro, Agustín Quiñones Mercado, Antonio González, Tomás González Candelaria, José Avilés Massanet, José Ángel Medina Figueroa, Octavio Ramos y Eladio Olivero Albarrán.[40] Estos constituían menos de una tercera parte de los 32 iniciales.

Apunta que entre los retirados con mejores armas, se encontraban las llamadas dos divisiones que "no llegaron", según mencionados por Medina. ¡Pero aun cuando se sabía que los estaban esperando, se decidió continuar con los pocos recursos de personal, armas y municiones! De acuerdo con el testimonio de Ángel Colón Feliciano, decidieron continuar a pie hacia el asalto del cuartel de la policía en Utuado.[41] Según él, "desde temprano la policía ya estaba acuartelá ...yo pasé cerca del cuartel en dos a tres ocasiones, claro, yo era una persona que ellos no conocían, pero pasé por allí como quien no quiere la cosa, a ver lo que había ... y la policía ya estaba encima de los edificios".[42] Los

---

[39] Rodríguez González, *Historia del Partido Nacionalista en Utuado*, 129-130.
[40] Mencionados en Ibid., 130.
[41] Seijo Bruno, *La insurrección nacionalista en Puerto Rico-1950*, 140.
[42] Ibid., 141.

estaban esperando con francotiradores para sorprenderlos; dice al respecto Colón Feliciano: "un promedio de treinta policías ya estaban encima de los edificios ...estaban encima de las azoteas con carabinas ...y estaban en los balcones... estaban esperándonos".[43] De acuerdo con Eladio Olivero Albarrán, *las armas que teníamos eran viejas, se les pedían a las personas que las tenían. También se llevaba macanas, cuchillos, puñales y todo lo que se podía encontrar.* Más adelante añade: *La Lugger la llevaba Heriberto Castro. Yo no llevaba armas. Iba el grupo con una pistola nada más.*[44]

Ese cuadro que describe Olivero Albarrán, en alguna dimensión contrasta a lo planteado por Dávila Marichal, al decir que después de la Masacre de Ponce, por un lado se desarticuló a los Cadetes de la República: "el gobierno logró mediante la intensa represión..., desactivar al Ejército Libertador".[45] No obstante, aparentemente se había recuperado en algún grado, cuando reaparecieron "uniformados ante el público" a la llegada de Albizu Campos en el 1947.[46] Esto crea la impresión que, a la altura de 1950, el Ejercito Libertador y el Cuerpo de Enfermeras estaban listos para lanzarse a la revolución. Si era así, cómo explicar entonces que la Junta Nacionalista de Utuado contara con tan solo una pobre preparación militar. Cuando debería de esperarse que estuvieran blindados por haber sido Utuado escogido por el liderato nacionalista para resistir por un tiempo el proceso revolucionario. Pero más impresionante es que, al ser

---

[43] Ibid.
[44] Ibid., 142
[45] Dávila Marichal, *Pedro Albizu Campos y el ejercito libertador...*, 280
[46] Ibid., 281.

Castro Ríos el capitán de los combatientes nacionalistas en Utuado y "considerado el segundo líder de los Cadetes" en todo Puerto Rico[47], todos bajo su mando deberían estar preparados. Esas debilidades ¿se repitieron en otros pueblos donde había Juntas organizadas?

Al momento del enfrentamiento había que ir de "¡De cara al sol!". Así lo dice Torres Acevedo, presidente en ese momento de la Junta Municipal Nacionalista de Utuado:

> Teníamos conocimiento de que se iba a dar el grito a las doce del día en punto. Esa era la consigna que había, a las doce del día, no a traición, no por la espalda, no de noche a la oscuridad, de coger ventaja, sino hacerle frente al despotismo, a la tiranía que había en Puerto Rico. ¡De cara al sol! ¡En pleno día! Nosotros íbamos a dar el grito y a tratar de hacer la independencia de Puerto Rico. Ese fue el objetivo.[48]

Hasta aquí hay algunos otros asuntos que merecen reflexión. Además de la cuestionada preparación militar, no está del todo claro, las razones para retirarse de la inmensa mayoría de lo que se estima 32 nacionalistas reunidos en la residencia de Castro Ríos.[49] ¿Estaban en desacuerdo con los planes a seguir y por tal razón decidieron retirarse? Alrededor de una tercera parte de los reunidos decide continuar. ¿Cuántos de los retirados pensaron que era muy precipitado lanzarse abiertamente a la revolución? Es posible que este asunto fuera la razón principal de su retirada. Refiriéndose a los retirados, Eladio Olivero Albarrán los señalaba

---

[47] Rodríguez González, *Historia del Partido Nacionalista en Utuado*, 106.

[48] Seijo Bruno, *La insurrección nacionalista en Puerto Rico-1950*, 141.

[49] José Ángel Figueroa dice que "había me parece como treinta y dos personas", Ver al respecto Seijo Bruno, *La insurrección nacionalista en Puerto Rico-1950*, 140-141.

como "esos están embarrados".[50] Es posible que a la hora de la verdad, a algunos de los nacionalistas que se retiraron les diera miedo. ¿Estarían entre los retirados Gabriel Arvelo y Emilio Cortés Fontanilla que fueron testigos de fiscalía?[51] ¿Cuánto incidió en los retirados el enterarse que los estaban esperándolos al filtrarse los planes del levantamiento y, según corroborado unas horas antes por Ángel Colón Feliciano – uno de los sobrevivientes nacionalistas – al contestar a la pregunta de Seijo Bruno ¿Ya estaban esperándolos? "Sí, nos estaban esperando".[52] Además, pudo deberse a que no estaban dispuestos a inmolarse, ni a morir como mártires al saber que los estaban esperando y a su renuencia a seguir una estrategia de guerra de carácter frontal y desigual.

La idea de ir a pie, de cara al sol, de darle la oportunidad a defenderse, de frente a los adversarios, en palabras de su máximo líder en Utuado, contenidas en la cita anterior, "no a traición, no por la espalda, no de noche a la oscuridad, de coger ventaja, sino hacerle frente al despotismo", ¿podría tener elementos suicidas? Aun cuando se reconozca que el inmolarse o dar la vida por la patria, fuera parte de la resistencia política del discurso albizuista sobre el sacrificio, visto éste desde la perspectiva de un nacionalismo que pretendía afirmar la identidad nacional y el derecho a la soberanía en rechazo al colonialismo y proponer un nuevo orden. Aunque para ello implicara sacrificar vida y hacienda como denuncia a la injusticia en su búsqueda de un

[50] Ibid.
[51] Rodríguez González, *Historia del Partido Nacionalista en Utuado*, 163.
[52] Seijo Bruno, *La insurrección nacionalista en Puerto Rico-1950*, 141.

cambio socioeconómico radical. Un suicidio mayor, si se sabía de la desigualdad en recursos humanos, armamentos y municiones.[53]

Otro asunto que llama la atención es ¿por qué ir a pie y no en vehículos a tomar el cuartel de la policía? Como se hizo en otros pueblos. ¿No existían los recursos para que fuera así? No debe descartarse que lo anterior también fuera otra razón para que la mayoría decidiera retirarse y no seguir con los planes. ¿Los 32 nacionalistas mencionados antes, eran Cadetes de la República o sólo los 12 que decidieron seguir con los planes? Estos últimos, ¿continuaron con los planes por disciplina militar? El adoptar principalmente una estrategia militar de carácter frontal con pocas posibilidades de éxito, era cuesta arriba o ninguna, o ¿respondió a que, para el Puerto Rico de mediados de siglo XX, eran desconocidas otras estrategias y tácticas de guerra? Por ahora, son preguntas y asuntos que siguen en el aire, sin responderse. Aunque más adelante retomaremos este asunto.

La muerte del bombero David Torres Ramos

El 30 de octubre de 1950, día en que empezó abiertamente la revolución, luego de partir de la residencia de Castro Ríos y bajar en dirección al pueblo por la Avenida Esteves de Utuado. Narra uno de los sobrevivientes, José Ángel Medina: *se pasó frente al parque de bombas, en la esquina de la iglesia por la parte de atrás ... se dio la orden de tirar dos bombas Molotov en el correo federal. Pero no sirvieron. Se hicieron disparos al aire. El*

---

[53] Algunas de estas ideas son discutidas por Luis Alberto Pérez Llody, "La resistencia política como derecho fundamental. Reflexiones a propósito de los cien años de la Constitución mexicana" en https://www.scielo.org.mx/scielo.php?script=sci_arttext&pid=S1870-21472016000200004

revolver mío lo llevaba Tony Ramos.[54] Añade Medina, *entonces los bomberos vinieron a apagar el fuego del Correo. Tony disparó, un tiro al aire. El que venía guiando era un tal Rosado, creo, y se les tiró encima a los nacionalistas. Entonces ellos brincaron la acera, entre ellos, yo. Tony tiró y Heriberto también, y matan (sic) a David Ramos alias La Ardilla.*[55]

De acuerdo con el testimonio de Eladio Olivero Albarrán, uno de los nacionalistas sobrevivientes presente en esos momentos, los bomberos llegaron a apagar el fuego que se había generado al intentar llevar a cabo la estrategia nacionalista de quemar el edificio del correo postal que en ese entonces quedaba en el primer piso del edificio de la Logia Masónica de Utuado, espacio que ocupa hoy la Legislatura Municipal. Señala Olivero Albarrán, que al llegar los bomberos al correo, le tiraron "encima a los nacionalistas" el camión. Eso provocó según otro nacionalista, Ángel Colón Feliciano, "una discusión" que culminó en disparos de parte de "Tony" (Antonio Ramos Rosario) y "Heriberto" refiriéndose a Castro Ríos, provocando – de acuerdo con su certificado de defunción – que una de las balas causara una fractura craneal al bombero David Torres Ramos, lo que condujo a su muerte unos instantes después de ser llevado al hospital municipal Catalina Figueras localizado en el sector Bubao del barrio Viví Abajo.[56]

---

[54] Seijo Bruno, *La insurrección nacionalista en Puerto Rico-1950*, 142.
[55] Ibid.
[56] Ver testimonios de Eladio Olivero Albarrán y Ángel Colón Feliciano en Ibid., 142-143.

El bombero David Torres Ramos, fue el primero de los caídos en la Revolución Nacionalista de 1950 en Utuado. Según parece, no hay certeza de dónde provino el disparo que lo hirió de muerte – si fue de las manos de Heriberto Castro o de Antonio Ramos. Acorde con su certificado de defunción, Torres Ramos murió en el Hospital Municipal de Utuado a las 12:06 de la tarde, el 30 de octubre de 1950, a causa de una fractura craneal producida por una bala. Contaba con 36 años y residía en el barrio Viví Abajo.[57] De acuerdo con el doctor R. F. Domínguez, la muerte se produjo a "instantes" después de ser llevado al Hospital Municipal Catalina Figueras y su muerte fue certificada como homicidio.[58]

A continuación se ofrece una idea general de quién era Torres Ramos. Este nació el 5 de mayo de 1912 en Utuado.[59] De conformidad con su acta de nacimiento era hijo legítimo del labrador Baldomero Torres Rodríguez y Ana Ramos Rivera, naturales de Utuado, con residencia en el barrio Viví Abajo.[60] Su padre, a los 23 años y madre a los 21, el 7 de febrero de 1908, habían contraído matrimonio civil ante el juez de la

[57] Certificado de defunción núm. 264, Distrito 71 en Puerto Rico, Registro Civil, 1805-2001 Utuado Defunciones 1950-1960, www.familysearch.org. Si nació en el 1912, como se verá más adelante, para el 1950 debió tener 38 años.
[58] Ibid. Uso el concepto clasificada porque en consonancia con el formato del certificado de defunción, si la muerte fue violenta el médico tenía que indicar si fue un accidente, suicidio u homicidio.
[59] "Puerto Rico, Registro Civil, 1805-2001," database with images, FamilySearch (https://www.familysearch. org/ark: /61903/ 1:1:QVJX-HCV7 : 31 December 2020), David Torres Ramos, 5 May 1912; citing Utuado, Puerto Rico, Estados Unidos de América, Puerto Rico Departamento de Salud and Iglesia Católica (Puerto Rico Department of Health and Catholic churches), Toa Alta.
[60] Ibid. En el censo de 1930, el nombre de la madre de David es Ana Ramos, contrario a su acta de nacimiento que dice Ameta.

municipalidad de Utuado.[61] Sus abuelos paternos eran naturales de Ponce y los maternos, de Utuado.[62] A tenor con el censo de 1920, David contaba con seis años y residía con sus padres en el barrio Tetuán de Utuado.[63]

Su padre Baldomero de 35 años, era un jornalero en finca de café.[64] A los 36 años, el 26 de octubre de 1918, Baldomero se registró en el servicio militar obligatorio de la Primera Guerra Mundial.[65] Por ahora, no aparece su certificado de defunción; la documentación consultada apunta que murió entre el 1918 al 1925. Para este último año, Ana la madre de David, tenía 30 años y había quedado viuda; más tarde contrajo matrimonio por la iglesia católica con Ángel Santiago de Jesús de 28 años, natural de Camuy y avecinado con ella y los hijos del difunto Baldomero Torres en la calle 25 de julio de Utuado.[66] Por ahora, se desconoce si Baldomero Torres, participó y murió en la Primera Guerra Mundial (1914-1918). Cinco años más tarde, con arreglo

---

[61] "Puerto Rico, Registro Civil, 1805-2001," database with images, FamilySearch (https://www.familysearch.org/ark:/61903/1:1:QVJF-G6LF : 23 December 2020), Baldomero Torres Rodríguez and Ana Ramos Pagán, ; citing Utuado, Puerto Rico, Puerto Rico Departamento de Salud, Toa Alta.

[62] Ibid.

[63] "United States Census, 1920", database with images, FamilySearch (https://www.familysearch.org/ark:/61903/1:1:X9WG-6CS : 4 February 2021), Dabid Torres Ramos in entry for Baldomero Torres Y Rodriguez, 1920.

[64] Ibid.

[65] "United States World War I Draft Registration Cards, 1917-1918", database with images, FamilySearch (https://www.familysearch.org/ark:/61903/1:1:QV9S-N4Q6 : 24 December 2021), Baldomero Torres Rodriguez, 1917-1918.

[66] "Puerto Rico, Registro Civil, 1805-2001," database with images, FamilySearch (https://www.familysearch.org/ark:/61903/1:1:QVJF-T58F : 23 December 2020), Ángel Santiago de Jesús and Ana Ramos Rivera, ; citing Utuado, Puerto Rico, Puerto Rico Departamento de Salud and Iglesia Católica (Puerto Rico Department of Health and Catholic churches), Toa Alta.

al censo poblacional de 1930, aparece Torres Ramos residiendo con su madre, jefa de familia, en la calle general Antonio Contreras núm. 51 de Utuado.[67] Para ese entonces, David era un joven de 16 años[68] y el segundo de seis hermanos/as; es el único con edad escolar que no sabía leer ni escribir.[69]

Seis años más tarde, David de alrededor 22 años, se unió en matrimonio civil a Petra Figueroa Colón el 14 de noviembre de 1934, a través del juez municipal.[70] Por ahora, no se ha encontrado datos de hijos de esa relación. Sin embargo, en el censo de 1940, aparece registrado residiendo en Viví Abajo con Angelina Santiago de 18 años.[71] En ese momento David "puede leer y escribir…" contaba con 27 años y su ocupación era

---

[67] "United States Census, 1930," database with images, FamilySearch (https://www.familysearch.org/ark:/61903/1:1:V6ZB-PZT : accessed 27 March 2023), David Torres Y Ramos in household of Ana Ramos Vda. De Torres, Utuado, Puerto Rico; citing enumeration district (ED) ED 2, sheet 19A, line 49, family 53, NARA microfilm publication T626 (Washington D.C.: National Archives and Records Administration, 2002), roll 2665; FHL microfilm 2,342,399.

[68] Ibid.

[69] Ibid. El hermano mayor Francisco de 18 años, sabe leer y escribir. Herminio que era su hermanos más pequeño contaba para el censo de 1930, ocho años, pero no se informa si sabe leer y escribir.

[70] "Puerto Rico, Registro Civil, 1805-2001," database with images, FamilySearch (https://www.familysearch.org/ark:/61903/1:1:QVJF-TP95 : 23 December 2020), David Torres Ramos and Petra Figueroa Colón, ; citing Utuado, Puerto Rico, Puerto Rico Departamento de Salud and Iglesia Católica (Puerto Rico Department of Health and Catholic churches), Toa Alta.

[71] "United States Census, 1940," database with images, FamilySearch (https://www.familysearch.org/ark:/61903/1:1:KFJ9-5MB : 20 May 2021), Angelina Santiago De Torres in household of David Torres, Barrio Viví Abajo, Utuado, Puerto Rico; citing enumeration district (ED) , sheet , line , family , Sixteenth Census of the United States, 1940, NARA digital publication T627. Records of the Bureau of the Census, 1790 - 2007, RG 29. Washington, D.C.: National Archives and Records Administration, 2012, roll .

"cargador de almacén de tabaco".[72] Este censo registra a Angelina como su esposa; no así en el de la siguiente década. El censo poblacional de 1950 hace referencia a una relación de concubinato; contaba con cuatro hijos/as: Gladys Torres Santiago de 10, David 9, William 8 y Hilda de 6 años.[73]

David para la fecha del censo, reside en el barrio Cataño-Pueblo, casa núm. 110, contaba con 38 años, era de ocupación bombero y Angelina se encontraba desempleada.[74] Al momento de su muerte, conforme con su certificado de defunción, estaba soltero. Desde que fue censado el 20 de abril de 1950 hasta su muerte, habían transcurrido aproximadamente unos seis meses y unos días. Desde el 1996, el actual edificio de Bomberos de Utuado lleva el nombre de este humilde trabajador.[75] Otras fuentes en el futuro, nos permitirá tener una idea más completa de quién fue David Torres Ramos.

---

[72] "United States Census, 1940," database with images, FamilySearch (https://www.familysearch.org/ark:/61903/1:1:KFJ9-5MB : 20 May 2021), Angelina Santiago De Torres in household of David Torres, Barrio Viví Abajo, Utuado, Puerto Rico; citing enumeration district (ED) , sheet , line , family , Sixteenth Census of the United States, 1940, NARA digital publication T627. Records of the Bureau of the Census, 1790 - 2007, RG 29. Washington, D.C.: National Archives and Records Administration, 2012, roll .

[73] "United States 1950 Census", database, FamilySearch (ark:/61903/1:1:6F6H-LVYV : Tue Mar 28 21:42:37 UTC 2023), Entry for David Torres and Angelina Santiago, 10 April 1950.

[74] Ibid.

[75] Ver Rodríguez González, *Historia del Partido Nacionalista en Utuado*, 155.

No. 264
(Para el Encargado del Registro)

GOBIERNO DE PUERTO RICO
DEPARTAMENTO DE SALUD
NEGOCIADO DE REGISTRO Y ESTADISTICA DEMOGRAFICA

CERTIFICADO DE DEFUNCION

DISTRITO No. 71

No. DE ARCHIVO .... (No escriba en este espacio)

1. Lugar de Defunción:
(a) Municipio de Utuado
(b) Zona Urbana (Calle y Número o Barriada)
(c) Zona Rural: Ave. Esteves (Nombre del Barrio)
(d) Nombre del Hospital o Institución donde ocurrió la Defunción Hosp. Mpl.
(e) Estadía en dicho Hospital o Institución (Especifique Años, Meses, Días)

2. Residencia Usual del Fallecido:
(a) Municipio de Utuado, P.R.
(b) Zona Urbana (Calle y Número o Barriada)
(c) Zona Rural Bo. Viví Abajo rural (Nombre del Barrio)
(d) Tiempo de Residencia en este Municipio 36 años
(e) ¿Es ciudadano de país extranjero? no (Sí o No)
Si lo es, mencione el país

3. (a) Nombre y Apellidos del Fallecido David Torres Ramos
(b) Si es Veterano, nombre de la Guerra
(c) No. seguridad social

4. Sexo V
5. Color o raza Bl.
6. (a) Solter. C. Casad. Viud. Divorciad.
6. (b) Espos... de: Viud... de: Divorciad... de .... Edad si vive
7. Nacido en 1914 (Día) (Mes) (Año)
8. Edad: años 36 Meses Días Si menor de un día Horas Minutos
9. Natural de Utuado P.R. (Ciudad o Pueblo) (Estado o País)

Ocupación
10. Oficio, Profesión u Ocupación Bombero
11. (a) Industria o Negocio en que trabajaba Parque de Bombas
(b) Fecha en que trabajó por última vez en esta ocupación (mes y año)
(c) Años que ha trabajado en esta ocupación

Padre
12. Nombre Baldomero Torres
13. Natural de Utuado P.R.

Madre
14. Nombre de Soltera Ana Ramos
15. Natural de Utuado P.R.

16. (a) Firma del Informante Hermenegildo Torres
(b) Dirección Utuado, P.R.
17. (a) Cementerio donde fué enterrado o sitio donde se trasladó el Cadáver en Utuado
(b) Fecha de Inhumación o Traslado Oct. 31/1950
18. (a) Firma del Agente Funerario Felipe Cortes
(b) Dirección Utuado P.R.
19. (a) Inscrito hoy 31, Oct. 1950 (Día) (Mes) (Año)
(b) Encargado del Registro

CERTIFICACION MEDICA

20. Fecha de Defunción: Mes Oct. Día 30
Año 1950 Hora 12:06 P.M. Minutos

21. Por la Presente Certifico que: (Complete a o b)
(a) Asistí al fallecido desde Oct. 30 1950 hasta Oct. 30 1950 y que lo vi vivo por última vez en Oct. 30 1950
(b) No asistí al fallecido y esta Certificación se hace a base de información suministrada por .... (Nombre del informante), en su carácter de .... (padre, madre, hermano, amigo, etc.) del fallecido

Causa inmediata de la muerte: Herida bala cabeza
Duración: Instantánea
Debido a
Otras causas
(Anótese embarazo dentro de los 3 meses antes de la defunción)
Diagnóstico confirmado por:
(a) Examen de laboratorio (Mencione el análisis)
(b) Rayos X (c) Autopsia X
Nombre y fecha de la operación quirúrgica, si la hubo Oct. 30, 1950
Motivo que la requirió

El Médico subrayará la causa que crea debe ser considerada para la clasificación Estadística

22. Si la muerte fué violenta llene los siguientes apartados:
(a) ¿Accidente, suicidio u homicidio? homicidio
(b) Fecha en que ocurrió Oct. 19
(c) Sitio donde ocurrió Utuado, calle Betances
(d) Especifique la lesión y el arma o instrumento que la causó Proy. del cráneo

23. (a) Nombre del médico R. A. Domínguez
(b) Firma del médico R. A. Domínguez M.D.
(c) Fecha Oct. 30/50 19
(d) Dirección Utuado P.R.

Permiso de (Enterramiento) (Traslado) expedido en Oct. 31 1950, Por

Bombero - David Torres Ramos

Altos: Lógia Masónica, Bajos: Correos Utuado (1950); Derecha: Oficina de Telégrafo (parcialmente oculta)

Muerte de Heriberto Castro Ríos, capitán de los Cadetes de la República en Utuado

Luego del frustrado intento de los nacionalistas de quemar el correo postal localizado en los bajos de la Logia Masónica Sol de Oriente #40, hoy Legislatura Municipal de Utuado, éstos se atrincheraron en la casa de Damián Torres Acevedo, presidente de Junta Municipal Nacionalista de Utuado, que en ese entonces quedaba en los altos de su negocio ubicado en el lateral izquierdo saliendo de la plaza de recreo Luis Muñoz Rivera por donde se unen las calles Antonio Sánchez López y Dr. Adrián Cueto Rodríguez.

Castro Ríos, fue el segundo caído durante la Revolución Nacionalista del 30 de octubre de 1950.[76] Y el primer nacionalista en ser muerto en un intercambio a tiros con armas de fuego con la policía. Según se ha dicho, era "considerado el segundo líder de los Cadetes" en todo Puerto Rico.[77] ¿Qué impacto tuvo su muerte en la siquis de los restantes combatientes nacionalistas? ¿Cómo afectó su ánimo? El abogado retirado, Luis Alberto Torres Rodríguez, piensa – luego de largas conversaciones con Gilberto Martínez Negrón, otro sobreviviente nacionalista – que "allí existió la máxima desorganización sobre todo, luego de la temprana muerte de Castros Ríos".[78]

Heriberto Castro Ríos

Veamos algunos datos de los ancestros y vida de Heriberto Castro Ríos. De acuerdo con el censo poblacional de 1910, los ancestros de Castro Ríos eran de origen gallego. El más antiguo de los inmigrantes registrados por ese censo que se arraigó en el barrio Viví Abajo fue Pedro Castro González de 55 años.[79] Este era natural de la provincia de "Santiago de Compostela de Pontevedra", comunidad autónoma

---

[76] Ver Apéndice 1.
[77] Rodríguez González, *Historia del Partido Nacionalista en Utuado*, 106.
[78] Conversación con Torres Rodríguez en la Égida Miraflores, Arecibo, 23 de junio de 2023.
[79] United States Census, 1910, Puerto Rico, Utuado, Viví Abajo, Distrito 1047, Hoja A, Núm. 3.

de Galicia e inmigró en 1866.[80] Al llegar a Utuado, en algún momento se domicilió en el sector Nogal del barrio Viví Abajo en donde se convirtió en agricultor de una finca de cultivo general.[81] En 1910 llevaba 17 años de casado con la utuadeña Carmen González Ayala de 44 años con la que había procreado nueve hijos/as, de los cuales seis estaban vivos.[82] Se mencionan cinco de los seis en el censo; los dos primeros eran Carmen de 14 años y Francisco González González de 13, ambos estudiantes de la escuela pública. Estos, aunque se mencionan como hijos con relación al jefe familiar, apuntan a que eran de su esposa. Se señalan como hijos de ambos a Serafín de 8 años, Patria de 7 y Carlos Castro González de 5. Se menciona a Carpia Medina Rosado de 19 años como criada.[83] El gallego Castro González de 32 años, contrajo matrimonio con González Ayala de 25, el 10 de agosto de 1892 en la iglesia católica San Miguel Arcángel de Utuado.[84]

Conforme con el censo poblacional de 1920, el gallego Pedro Castro González contaba con 60 años y continuaba residiendo en Viví Abajo con su esposa González Ayala de 50 y sus hijos/as: Carmen de 20, Serafín de 15, Patria de 13 y Carlos Castro

---

[80] Ver su origen de procedencia en el Acta de nacimiento núm. 471, folio 36 de su hijo Pedro Castro González, Jr. en Puerto Rico, Registro Civil, 1805-2001, Utuado, Nacimientos 1890-1894.
[81] Viví Abajo, Distrito 1047, Hoja B, Núm. 2.
[82] Ibid., Distrito 1047, Hoja A, Núm. 3.
[83] Ibid.
[84] Ver Acta de matrimonio núm. 96 en Puerto Rico, Registro Civil, 1805-2001, Utuado, Matrimonios 1885-1896.

González de 12.[85] En este censo, Castro González aparece como agricultor de frutos menores.[86]

Otro hijo del gallego llevaba su mismo nombre, Pedro Castro González, Jr., quien se convertirá en padre del líder nacionalista Heriberto Castro Ríos. El primero aparece registrando al segundo a las once y media del día 4 de julio de 1893 ante don Melitón Maestre Cintrón, Juez Municipal, y el secretario, don Osvaldo Alfonso Bausá, como que nació en segundas nupcias el 18 de junio del mismo año.[87] Cumplidos sus 23 años, el 12 de julio de 1917, Castro González, Jr. contrajo matrimonio, ante el ministro evangélico Carlos Ortiz, con Josefa Emilia Ríos Boneta de 22 años en Utuado; ambos eran residentes de Viví Abajo.[88] Ese mismo año, una semana antes de contraer matrimonio el 5 de julio de 1917, se había inscrito en el servicio militar obligatorio.[89]

En el acta de nacimiento del eventual líder nacionalista, Heriberto Castro Ríos, se menciona que para 1922 su padre Pedro Castro González Jr. era residente del barrio Caguana y de oficio, agricultor.[90] Castro González Jr. aparece el 9 de mayo de 1922 registrando a su hijo Heriberto nacido casi un mes antes el 10 de

---

[85] Aquí se escribe el nombre de su esposa Méndez, apunta a una confusión del enumerador del censo al invertir o cambiar los nombres de su esposa e hija. United States Census, 1920, Puerto Rico, Utuado, Viví Abajo, Distrito 250, Hoja B, Núm. 12.
[86] Ibid.
[87] Ver Acta de nacimiento núm. 471 folio 36 en Puerto Rico, Registro Civil 1805-2001, Utuado, Nacimientos 1890-1894.
[88] Ver Acta de matrimonio núm. 181, folio 181 en Puerto Rico, Registro Civil, 1805-2001, Utuado Matrimonios 1910-1927.
[89] Ver Tarjeta de Inscripción núm. 89 en United States World War I Registration Cards, 1917-1918, Puerto Rico, Utuado County; A-R
[90] Ver Acta de nacimiento núm. 436, folio 594 de Heriberto Castro Ríos en Puerto Rico, Registro Civil, 1805-2001 Utuado, Nacimientos 1921-1925.

abril del mismo año. Declaró que era hijo legítimo con Josefa Emilia Ríos Boneta, natural de Utuado;[91] hija del agricultor José Antonio Ríos Bermúdez y Josefa Boneta Villafañe.[92] Alrededor de seis años más tarde, a los 84 años el 22 de septiembre de 1928, murió el abuelo de Heriberto, el gallego Castro González.[93]

Para la década del 1930, la familia del agricultor Castro González, Jr. se había trasladado a la calle Antonio R. Barceló núm. 99 del pueblo. Emilia Ríos, trabajaba de costurera en su propio hogar. Además de ellos dos, forman el núcleo familiar sus hijos, Carlos M. de 11 años y Heriberto Castro Ríos de 7 años. Para ese entonces era su sirvienta Ana Rosa Medina.[94]

Conforme a los resultados del censo poblacional de 1940, Castro González Jr. de 46 años, residía en la Avenida Esteves con su esposa Josefa Ríos de 39 años y sus hijos: Heriberto de 18 años, Raquel de 5, y Manuel de 22.[95] Formaban parte del núcleo familiar la esposa de este último, Ester Sotomayor, de 24 años y su hija, Daliemé Castro Sotomayor, de 10 meses de nacida.[96] Castro González Jr. trabaja como empleado dependiente de una tienda de zapatos y sus dos hijos, Heriberto y Manuel, trabajan como empleados dependientes de una tienda de ropa.

Castro González Jr. es el único que sabe inglés.[97] Dice Torres Rodríguez que su nombre era Carlos Manuel.[98] Añade que en el

---

[91] Ibid.
[92] Ibid.
[93] Ver Acta de defunción núm. 319, folio 591 en Puerto Rico, Registro Civil, 1805-2001, Utuado, Defunciones 1927-1934.
[94] Ver datos en Ibid.
[95] United States Census, 1940 Puerto Rico, Utuado, Utuado, Pueblo 18-1 Utuado Town, Barrio, Monasterio Capuchinos, Hoja B, Núm. 5.
[96] United States Census, 1940 Puerto Rico, Utuado…
[97] Ver datos en Ibid.

proceso de pasar su parte de la residencia familiar a nombre del nacionalista sobreviviente Gilberto Martínez, él viajó a Santa Cruz y conoció a Carlos Manuel. Además indicó que Carlos Manuel fue también acusado de estar involucrado en los eventos de la Revolución Nacionalista de 1950 en Utuado. Cumplió 4 años de cárcel y luego de apelar fue exonerado por Tribunal Supremo de Puerto Rico. Se le acusó, conforme a Torre Rodríguez, "de manera ridícula al alegar que con su avión personal se proponía dinamitar el tramo de carretera que cruza el Lago Dos Bocas".[99] Añade que, en conversación con Gilberto, Carlos Manuel trató de persuadir sin éxito a su hermano Heriberto, "de que no siguieran con los planes que tenía el PNPR para el 30 de octubre de 1950".[100]

El 30 de octubre de 1950, Heriberto Castro Ríos – uno de los descendientes del gallego Castro González – fue asesinado según se ha establecido en un intercambio a tiros con la policía conforme con los testimonios de los combatientes nacionalistas sobrevivientes de Utuado y según se desprende de su certificado de defunción ilustrado más adelante.[101] Al momento de su muerte, apenas había transcurrido seis meses de que este joven nacionalista cumpliera 28 años.[102] Según su certificado de defunción, la causa inmediata de su muerte fue debido a una

---

[98] Conversación con Torres Rodríguez el domingo, 21 de abril de 2024 en la Égida Miraflores, Arecibo, Puerto Rico. Luego de publicar la 2da. edición de este texto.

[99] Ibid.,

[100] Ibid.

[101] Acta de defunción núm. 269, Distrito núm. 71 en Puerto Rico, Registro Civil, 1805-2001 Utuado, Defunciones 1950-1960.

[102] En su acta de defunción se señala que tenía 30 años, pero es un error, si se resta el año de su muerte (1950) menos el de nacimiento (1922) su resultado es 28.

"Bullet Wound Chest" (Herida de Bala en el Pecho"), resultado de un tiroteo que ocurriera a las 3 de la tarde del 30 de octubre de 1950 en la calle Dr. Cueto como certificara el día siguiente el médico Federico José Maestre.[103] Sin embargo, se clasificó o encasilló como un accidente la muerte de Castro Ríos.[104] Aproximadamente una década antes de su muerte, Castro Ríos, el 2 de septiembre de 1940, había contraído matrimonio con Olimpia Álvarez Medina en la Iglesia Metodista que pastoreaba el ministro Jorge Rivera.[105] Entre los descendientes de Castro Ríos se menciona a la niña Ara[106] María Castro Negrón, fallecida al mes y veinticinco días de su nacimiento, el 13 de noviembre de 1948 de "bronco pulmonía".[107] En el certificado de defunción de ésta no se menciona a su madre.[108] El mencionado Torres Rodríguez asevera que entre 1965 y 1967, siendo profesor de español en la escuela superior Luis Muñoz Rivera de Utuado, tuvo como discípulo a un hijo de Castro Ríos, "ya fallecido del mismo nombre". También se menciona a Carlos Castro Cintrón, hijo de María Cintrón, nacido el 17 de noviembre de 1950, días

---

[103] Acta de defunción núm. 269, Distrito núm. 71 en Puerto Rico, Registro Civil, 1805-2001 Utuado, Defunciones 1950-1960.

[104] Ibid. Este firmó las certificaciones de muerte de varios nacionalistas catalogándolas como "accidentes".

[105] "Puerto Rico, Registro Civil, 1805-2001", database with images, FamilySearch (ark:/61903/1:1:QVJF-TZ5H : Tue Apr 25 23:09:54 UTC 2023), Entry for Heriberto Castro Ríos and Olimpia Álvarez Medina, .

[106] Muy probable fuera su nombre era Ana María.

[107] "Puerto Rico, Registro Civil, 1805-2001," database with images, FamilySearch (https://www.familysearch.org/ark:/61903/1:1:QVJN-Z16J : 31 December 2020), Heriberto Castro in entry for Ana Emilia Castro Negrón, 13 Nov 1948; citing Utuado, Puerto Rico, Estados Unidos de América, Puerto Rico Departamento de Salud and Iglesia Católica (Puerto Rico Department of Health and Catholic churches), Toa Alta.

[108] Ver Ibid.

después de la Revolución Nacionalista.[109] La documentación consultada, sugiere que luego de la Revolución Nacionalista, el padre de Castro Ríos, Pedro Castro González, Jr., se trasladó al pueblo de Aguada lugar donde residía antes de morir a los 75 años el 21 de marzo de 1965 luego de estar internado 8 días en el Hospital Bella Vista de Mayagüez a consecuencia de una hemorragia cerebral.[110]

No. 269
(Para el Encargado del Registro)

GOBIERNO DE PUERTO RICO
DEPARTAMENTO DE SALUD
NEGOCIADO DE REGISTRO Y ESTADISTICA DEMOGRAFICA

CERTIFICADO DE DEFUNCION

DISTRITO No. 71

No. DE ARCHIVO
(No escriba en este espacio)

1. Lugar de Defunción
(a) Municipio de Utuado
(b) Zona Urbana
(c) Zona Rural: Calle [illegible]
(Nombre del Barrio)
(d) Nombre del Hospital o Institución donde ocurrió la Defunción
(e) Estadía en dicho Hospital o Institución
(Especifique Años, Meses, Días)

2. Residencia Usual del Fallecido:
(a) Municipio de Utuado, P.R.
(b) Zona Urbana
(c) Zona Rural: Bo. [illegible] Abajo
(Nombre del Barrio)
(d) Tiempo de Residencia en este Municipio 30 años
(e) ¿Es ciudadano de país extranjero? [illegible] (Sí o No)
Si lo es, especifique el país

3. (a) Nombre y Apellidos del Fallecido Heriberto Castro Ríos
(b) Si es Veterano, nombre de la Guerra
(c) No. seguridad social

4. Sexo M.
5. Color o raza Bl.
6. (a) Soltero ___ Casado ___ Viudo ___ Divorciado
6. (b) Esposo de: Viudo de: Divorciado de [illegible] Alvarez
Edad si vive

7. Nacido en ___ (Día) ___ (Mes) 1920 (Año)

8. Edad: años 30 | Meses [illegible] | Días | Si menor de un día Horas ___ Minutos

9. Natural de Utuado (Ciudad o Pueblo) P.R. (Estado o País)

OCUPACIÓN
10. Oficio, Profesión u Ocupación Carpintero
11. (a) Industria o Negocio en que trabajaba Carpintería
(b) Fecha en que trabajó por última vez en esta ocupación (mes y año)
(c) Años que ha trabajado en esta ocupación

PADRE
12. Nombre Pedro Castro
13. Natural de Utuado, P.R.

MADRE
14. Nombre de Soltera Emilia Ríos
15. Natural de Utuado, P.R.

16. (a) Firma del Informante [illegible]
(b) Dirección Utuado, P.R.

17. (a) Cementerio donde fué enterrado o sitio donde se trasladó el Cadáver [illegible]
(b) Fecha de Inhumación o Traslado Oct. 31/50

18. (a) Firma del Agente Funerario Rafael Rodríguez
(b) Dirección Utuado, P.R.

19. (a) Inscrito hoy 31 (Día) Octubre (Mes) 1950 (Año)
(b) Encargado del Registro [illegible]

CERTIFICACION MEDICA

20. Fecha de Defunción: Mes Oct. Día 30
Año 1950 Hora 3 P.M. Minutos

21. Por la Presente Certifico que: (Complete a o b)
(a) Asistí al fallecido desde ___ 194__ hasta ___ 194__, y que lo vi vivo por última vez en ___ 194__
(b) No asistí al fallecido y esta Certificación se hace a base de información suministrada por ___ (Nombre del informante) en su carácter de ___ (padre, madre, hermano, amigo, etc.) del fallecido

Causa inmediata de la muerte Bullet Wound Chest
Debido a
Otras causas
(Anótese embarazo dentro de los 3 meses antes de la defunción)

DURACIÓN:

Diagnóstico confirmado por:
(a) Examen de laboratorio (Menciónese el análisis)
(b) Rayos X ___ (c) Autopsia [illegible]
Nombre y fecha de la operación quirúrgica, si la hubo
Motivo que la requirió

El Médico subrayará la causa que crea debe ser considerada para la clasificación Estadística.

22. Si la muerte fué violenta llene los siguientes apartados:
(a) ¿Accidente, suicidio u homicidio? Accidente
(b) Fecha en que ocurrió Oct. 30/50 19__
(c) Sitio donde ocurrió Calle [illegible]
(d) Especifique la lesión y el arma o instrumento que la causó [illegible]

23. (a) Nombre del médico F. J. [illegible]
(b) Firma del médico [illegible] M.D.
(c) Fecha Oct. 31, 1950 19__
(d) Dirección Utuado, P.R.

Permiso de (Enterramiento) (Traslado) expedido en Oct. 31 1950 Por [illegible]

Heriberto Castro Ríos

[109] "United States, Social Security Numerical Identification Files (NUMIDENT), 1936-2007", database, FamilySearch (https://www.familysearch.org/ark:/61903/1:1:6K9N-976K : 10 February 2023), Heriberto Castro in entry for Carlos Castro, .

[110] Ver Acta de defunción núm. 48, certificado 163 en Puerto Rico, Registro Civil, 1805-2001 Mayagüez Defunciones 1963-1966, L. 80-84

En los altos de este edificio quedaba la residencia de Damián Torres Acevedo, presidente de la Junta Municipal Nacionalista de Utuado. Aquí en un intercambio a tiros con la policía fue asesinado Heriberto Castro Ríos.

La imagen anterior, reproducida del libro de Miñi Seijo Bruno, La insurrección nacionalista en Puerto Rico-1950, página 156, ofrece una idea de los edificios contiguos a la residencia de Damián Torres y desde donde se postearon los policías que intercambiaron tiros con los nacionalistas que dieron muerte al Comandante de los Cadetes de la República, Heriberto Castros Ríos. Además de la nota de la autora, aparece un comentario del abogado retirado Luis Alberto Torres Rodríguez sobre sus infructuosos intentos en la década de 1970, cuando radicó en el Tribunal Superior de Utuado, un recurso legal para evitar que esa estructura fuera demolida, remodelada y desfigurada y conservara el valor histórico.

ALGUNOS DATOS SOBRE EL ÁRBOL GENEALÓGICO DE HERIBERTO CASTRO RÍOS

BISABUELOS PATERNOS - Serafín Castro Rivas, natural de Pontevedra, ubicada en el noroeste de la península ibérica, en la comunidad autónoma de Galicia y Josefa González, natural de Marruecos provincia de Salamanca.

↓

BISABUELOS MATERNOS – Antonio González Viruet y Carmen Ayala

↓

ABUELOS PATERNOS- Pedro Castro González y Carmen González Ayala

↓

ABUELOS MATERNOS - José Antonio Ríos Bermúdez y Josefa Boneta Villafañe

↓

PADRES - Pedro Castro González, Jr. y Josefa Emilia Ríos Boneta

↓

Heriberto Castro Ríos

Nació 10 de abril 1922. Murió el 30 de octubre de 1950

Esta foto fue tomada desde la calle Dr. Cueto el domingo, 20 de agosto de 2023. En ésta se observa la actual calle George Washington donde ocurrieron la mayoría de los caídos asesinados. De inmediato se observa el final de la calle Antonio R. Barceló, en el lateral izquierdo frente a la iglesia La Roca, se encuentra el edificio pintado siguiendo el diseño y los colores de la bandera de Puerto y que para el 1950 albergaba el cuartel de la policía. En la pared izquierda del antiguo cine, hoy iglesia La Roca, se observa la entrada a la calle República, hoy Manuel Palop Soler. Un poco más adelante se unen las calles Washington y la Betances. Este fue el escenario que en la madrugada del 31 de octubre de 1950, fueron entrampados y asesinados varios nacionalistas y heridos otros, entre estos últimos, Agustín Quiñones Mercado (nacionalista) que murió el día siguiente 1 de noviembre de 1950 y asesinado el guardia nacional José Rodríguez Alicea y herido el policía insular Juan Luis Rivera Cardona, muriendo 10 minutos después de ser llevado al Hospital Municipal Catalina Figueras de Utuado. En las siguientes notas se reflexiona sobre todo este asunto.

Los caídos en las calles Washington y Betances

A la muerte de Heriberto Castro Ríos le siguieron los caídos en donde se unen las calles George Washington y Ramón Emeterio Betances en Utuado, entre la una y treinta y dos de la mañana del 31 de octubre de 1950. En conformidad con sus certificados de muerte, los nacionalistas Julio Colón Feliciano y Antonio Ramos Rosario fueron entrampados y asesinados en la calle George Washington a las 2:00 de la mañana del 31 de octubre de 1950. También a esa misma hora, día y calle, fue asesinado el guardia nacional, José Rodríguez Alicea, a causa de una "Bullet Wound Chest" (Herida de Bala en el Pecho)[111]. Además fue herido el policía insular Juan Luis Rivera Cardona, muriendo 10 minutos después de ser llevado al Hospital Municipal Catalina Figueras de Utuado. Asimismo – a pocos pasos, en la calle Betances – fue asesinado el combatiente nacionalista Jorge Antonio González González.[112]

Refiriéndose a la siguiente afirmación y pregunta "También murió un policía. ¿Lo mataron ustedes?" de Mini Seijo, el sobreviviente nacionalista, Ángel Colón Feliciano, contestó "Sí".[113] Según se verá más adelante, éste confunde los disparos que recibió el civil José Álvarez de Jesús en la calle Barceló que

---

[111] "Puerto Rico, Registro Civil, 1805-2001," database with images, FamilySearch (https://www.familysearch.org/ark: /61903/1:1:QVJN-ZLK1 : 30 December 2020), José Rodríguez Alicea, 31 Oct 1950; citing Utuado, Puerto Rico, Estados Unidos de América, Puerto Rico Departamento de Salud and Iglesia Católica (Puerto Rico Department of Health and Catholic churches), Toa Alta.

[112] "Puerto Rico, Registro Civil, 1805-2001", , FamilySearch (https://www.familysearch.org/ark:/61903/1:1:QVJN-87JQ : Fri Mar 08 14:12:02 UTC 2024), Entry for Jorge Antonio González González and Jorge González, 31 10 1950.

[113] Seijo Bruno, *La insurrección nacionalista en Puerto Rico-1950*, 149.

llevó a su muerte, 11 días después de estar hospitalizado en Clínica San Miguel de Utuado. Eladio Olivero Albarrán, otro nacionalista sobreviviente, al contestar la siguiente pregunta de Seijo Bruno: "¿No sería que ustedes dispararon y por eso los ametrallaron?" contestó: "No, porque en el tiroteo que se formó primero fue que murió el policía".[114] En el tiroteo a que se refiere, según se ha dicho, resultó herido el civil Álvarez De Jesús, muriendo conforme a su certificado de defunción, 11 días más tarde de estar hospitalizado, el 9 de noviembre de 1950, en la Clínica San Miguel.

Varias horas después de ese tiroteo en que resultó herido Álvarez De Jesús – de acuerdo con su certificado de defunción, a las tres de la tarde del 30 de octubre de 1950 – se produjo la muerte del capitán del grupo de combatientes nacionalistas de Utuado, Heriberto Castro Ríos. Este fue el único nacionalista que murió en Utuado a consecuencia de un tiroteo.

Por otro lado, se ha teorizado que se produjo un tiroteo desde el negocio y residencia de Carlos Jordán donde Albizu Campos acostumbra a quedarse cuando iba a Utuado. En torno a este particular, dice el entonces joven nacionalista Gilberto Martínez: "Dicen que en la casa de Carlos Jordán salió el primer disparo; como ahí era que don Pedro se hospedaba cuando venía a Utuado… pero uno no puede decir a ciencia cierta como fue la cosa".[115] Obsérvese el "Dicen"; no le consta de propio conocimiento. Sobre este particular añade Ángel Colón Feliciano:

[114] Ibid.
[115] Ibid., 149.

"A mí me hace pensar que esa gente tenía planeado matarnos a nosotros, que eso no fue que se escapó un tiro, como ellos dicen, sino que fue un plan de ellos".[116] Sol Gabriel afirma que el primer tiro que se escuchó "fue disparado por un guardia nacional de apellido Gandía. "Él nos dijo que, la noche del 30 de octubre, cuando él vio los nacionalistas marchando a lo largo de la calle Betances, él se encontraba apostado en los altos, en el techo de lo que ahora es la colecturía; al verlos venir calle abajo, con los brazos en la cabeza, él se sintió tan nervioso que trató de acomodarse y disparó accidentalmente".[117] Entonces los documentos no apoyan la existencia de ese tiroteo en donde se unen las calles Betances y Washington.

Lo que ocurrió en la unión de esas calles, fueron principalmente dispararos producidos por una metralleta manejada por guardias nacionales y policías que seguían instrucciones de sus superiores con los resultados antes mencionados. Esto no fue un intercambio a tiros con armas de fuego entre dos grupos armados. La Real Academia Española define un tiroteo "disparar repetidamente armas de fuego portátiles contra personas o cosas".[118] Esto fue lo que hizo la guardia nacional en contra de los nacionalistas previamente rendidos y desarmados. A la siguiente pregunta de Seijo Bruno al nacionalista sobreviviente Eladio Olivero Albarán: "¿No sería que ustedes dispararon y por eso los ametrallaron?", a lo que contestó: "¡No! ¡Pero si estamos heridos todos en el piso!

[116] Ibid., 147.
[117] Ibid., 149.
[118] Ver definición de tirotear en el Diccionario de la lengua española, actualización de 2023 en https://dle.rae.es/tirotear?m=form

¿Con qué armas íbamos a disparar?"[119] No debe olvidarse que antes del suceso, los combatientes nacionalistas se habían rendido, así lo dice Olivero Albarrán: "Nos rendimos en la madrugada del 31 de octubre cuando nos dieron el conteo para que nos rindiéramos".[120] Dice Gilberto Martínez:

> Después de la medianoche nos ordenaron rendirnos. La Guardia Nacional estaba apostada frente a la casa de Damián Torres, en la plaza de recreo y lo largo de las calles. Cuando bajamos, nos dijeron que pusiéramos los brazos detrás de la cabeza, en la nuca; antes tuvimos que quitarnos las correas. Nos hicieron caminar a lo largo de la calle que queda en la parte baja de la plaza de recreo y luego bajar por la calle Betances. Al llegar cerca de la esquina Washington y Betances, surgieron inesperadamente unas descargas y algunos cayeron, otros nos tiramos al suelo.[121]

Es decir, luego de rendirse los obligaron a bajar de la residencia de Torres Acevedo. Fueron movidos a la parte sur de la plaza de recreo Luis Muñoz Rivera o contraria a la Iglesia Católica, donde fueron arrestados, registrados y desarmados con órdenes de la Guardia Nacional y la policía de mantener sus manos sobre sus cabezas y, a punta de pistolas y carabinas, obligados a caminar por la calle Betances hasta la Washington en dirección al cuartel de la policía, cuyo edificio para el 1950 estaba en calle Washington esquina Antonio R. Barceló. Ese edificio fue para la década de 1960 era un hotel y más tarde albergó el famoso Restaurante El Yumurí de Víctor y luego de Ángel Gabriel Collazo.[122]

---

[119] Seijo Bruno, *La insurrección nacionalista en Puerto Rico-1950*, 149.
[120] Ibid.
[121] Ibid., 148.
[122] Conversación con Luis Alberto Torres Rodríguez en la Égida Miraflores, Arecibo, 23 de junio de 2023.

Al pasar los nacionalistas por donde se unen la calles Betances y Washington, fueron ametrallados según se desprende de los testimonios de varios de los sobrevivientes. Entonces, no hubo tal tiroteo – intercambio de tiros entre dos bandos armados – en donde se unen las mencionadas calles Betances y Washington. Porque conforme con los diferentes testimonios de los combatientes sobrevivientes, los disparos fueron hechos por los miembros de la Guardia Nacional usando una ametralladora. Asimismo, se desprende del análisis de los certificados de defunción de los caídos en ese lugar.

El mismo día y hora en la calle Washington (31 de octubre de 1950 a las 2:00 a. m.) fue tiroteado el nacionalista Agustín Quiñones Mercado, muriendo el día siguiente (1 de noviembre de 1950) a la 1:30 de la mañana en la Clínica Carrasquillo a causa de un shock debido a la "amputación traumática del muslo derecho", lesión causada por un "tiroteo con la policía" según certificara el aludido Dr. Maestre.[123] Sin embargo, a excepción de la muerte de Ramos Rosario, las de los restantes nacionalistas fueron catalogadas como "accidentes" por el médico Federico José Maestre. Asimismo hizo en los casos de Julio Colón Feliciano, Jorge Antonio González González y Antonio Ramos Rosario al certificar sus muertes a causa de "un tiroteo" cuando todos los nacionalistas, según se ha dicho, se habían rendido y estaban desarmados. Es decir, el Dr. Maestre le falta a la verdad

[123] Certificado de defunción núm. 271, Distrito 71 en Puerto Rico, Registro Civil, 1805-2001, Utuado, Defunciones 1950-1960, /www.familysearch.org.

al hacer referencia a un tiroteo que él se inventó o que inventaron los que planificaron la ejecución de los indefensos nacionalistas.

Ametralladora M60E4

La imagen anterior encontrada en la Internet pretende ilustrar una de las posibles ametralladoras usadas para ejecutar a los nacionalistas desarmados. La M60 es una familia de ametralladoras desarrollada por los Estados Unidos en 1950, siguiendo el diseño de las armas alemanas MG42 y FG42. Es considerada una ametralladora de propósito general y es usada como arma de apoyo. La ametralladora M60 comenzó su desarrollo a finales de la década de 1940, como un programa para una ametralladora nueva y más ligera del calibre 7,62 x 51 OTAN.

Los disparos indiscriminados de la metralleta, a la luz de los testimonios de los nacionalistas sobrevivientes, también ocasionaron la muerte, a las 2:00 de la mañana del 31 de octubre de 1950 en la calle Washington, del antes aludido guardia nacional, José Rodríguez Alicea. También fue herido el policía insular, Juan Luis Rivera Cardona, muriendo 10 minutos después de su llegada al Hospital Municipal de Utuado Catalina Figueras a causa de una hemorragia interna debido a una herida de bala.[124] Esta muerte fue certificada por el misterioso Dr. Gabriel W. Axtmayer, como homicidio.[125]

[124] Certificado de defunción núm. 966, "Puerto Rico, Registro Civil, 1805-2001," database with images, FamilySearch (https://www.familysearch.org/ark:/61903/1:1:QVJN-ZLK1 : 30 December 2020), José Rodríguez Alicea, 31 Oct 1950; citing Utuado, Puerto Rico, Estados Unidos de América, Puerto Rico Departamento de Salud and Iglesia Católica (Puerto Rico Department of Health and Catholic churches), Toa Alta.

[125] Ibid. Los rasgos de las letra apunta que su nombre era Gabriel, pero está la posibilidad de la equivocación.

El nombre de ese doctor no está del todo claro y legible en el certificado de defunción del policía Rodríguez Alicea. Sin embargo, los trazos en la caligrafía de la firma del Registrador Miguel A. Hernández son muy similares a la letra utilizada en el resto de ese certificado de defunción. Se puede ver en la imagen anterior, correspondiente a un fragmento de ese certificado, el nombre y lugar de trabajo de ese médico. Aparentemente era empleado del Distrito de Arecibo, sin embargo no aparece en la lista de "Médicos en el pueblo de Arecibo para mediados de siglo XX".[126] Tampoco en la de "Médicos en el área central de Puerto Rico para el año 1951".[127] Es posible que ese nombre fuera una invención de ese Registrador o de otras personas. No obstante, las muertes de los nacionalistas asesinados, a excepción de uno, fueron certificadas como accidentes, mientras las del guardia nacional y el del policía insular, de homicidios. ¿Verdaderamente fue así? Por ahora no tenemos una idea de quién era Dr. Axtmayer, pese a los esfuerzos por averiguarlo.

---

[126] Enlace https://historiaygenealogiapr.blogspot.com /2013/01/médicos-en-el-pueblo-de-arecibo-puerto.html

[127] Estos aparecen en el siguiente enlace https://historiaygenealogiapr.blogspot.com/2012/11/médicos-en-el-area-central-de-puerto.html?view=timeslide

La fotografía anterior del periódico *El Imparcial*, presenta el lugar donde fueron acribillados los nacionalistas luego de haberse rendido. La evidencia recopilada hasta el momento corrobora que también murieron un miembro de la guaria nacional y un policía insular en la madrugada del 31 de octubre de 1950, víctimas de la aludida ametralladora.[128] En esta se observa un charco de sangre, un par de zapatos, tres guardias nacionales y al periodista Jacobo Córdova Chirino caminando por la acera de la calle Washington muy cerca de dónde se unen las calles República y Washington a pocos pasos de dónde se encontraba el cuartel de la policía en Utuado para el 1950.[129] De acuerdo a Luis Alberto Torres Rodríguez, el edificio en la esquina en dónde se unen las calles Washington y Betances, pintado de color crema (no se ve en la foto su techo o cobija), correspondía al colmado de Máximo de

[128] Esta foto aparece reproducida con mayor claridad en el libro de Seijo Bruno, *La insurrección nacionalista en Puerto Rico-1950*, 1989, 157.
[129] Ibid.

Jesús.[130] En la esquina contraria a ese negocio, estaba para el 1950 el mencionado negocio y residencia de Carlos Jordán y más tarde por mucho tiempo la antigua oficina del Dr. Antonio Capella, mudada a la otra equina paralela; esta última fue cerrada pocos años antes de su muerte en octubre de 2019.

Las dudas que puedan generar los ángulos fotográficos y el contenido de la imagen anterior no contradicen la memoria del nacionalista sobreviviente, Ángel Colón Feliciano, sobre esos hechos al decir: "cuando íbamos llegando al cuartel … allí había una ametralladora y estaban muchos guardias nacionales. … entonces se sintió una descarga de ametralladora y, es claro, cayeron los de alante (sic), entre ellos estaba mi hermano".[131]

Conforme con el testimonio de otro nacionalista sobreviviente, Gilberto Martínez Negrón, al licenciado José Enrique Ayoroa Santaliz y de este a Torres Rodríguez, en su caminata por la ruta que recorrieron los patriotas nacionalistas, esa ametralladora estaba localizada en las inmediaciones en donde se unen las calles Ramón Emeterio Betances y George Washington. Alega Torres Rodríguez que el conocido líder independentista, don Pedro Matos Matos, le contó que bajando por la calle Betances desde la Plaza de Recreo Luis Muñoz Rivera y luego de cruzar la

[130] Conversación con Torres Rodríguez, Égida Miraflores en abril 21 de 2024.

[131] Seijo Bruno, *La insurrección nacionalista en Puerto Rico-1950*, 145. El que escribe, tuvo la oportunidad de hacer un recorrido acompañado con el abogado retirado Luis Alberto Torres Rodríguez por la trayectoria que siguieron los nacionalistas desde que salieron de la casa de Heriberto Castro y que luego perteneció al nacionalista sobreviviente Gilberto Martínez Negrón. Este último, había hecho antes ese recorrido con el licenciado José E. Ayoroa Santaliz y Torres Rodríguez.

calle Washington, a muy pocos pasos en la acera frente al Colegio Royal, se encontraba la mencionada ametralladora y también cerca de su residencia para el 1950.

Este testimonio es corroborado en el dibujo o croquis "La Masacre de Utuado" preparado por Matos Matos. Esto se puede ver en el punto número 5 de dicho boceto, ilustrado en la tabla núm. 1 ("La Masacre de Utuado"). He integrado a esa tabla una imagen de metralleta con la intención de que el lector tenga una idea de dónde estaba ubicada conforme al testimonio de Torres Rodríguez y confirmado con el mencionado boceto de Matos Matos. En la tabla se omiten las flechas dibujadas por Matos Matos, porque no se pudo integrárselas. La dirección de las flechas de los puntos número 1 al 3 ilustran la ruta por dónde la policía y la guardia nacional condujeron a los nacionalistas. La tabla núm. 1 pretende complementar con alguna claridad la fotocopia opacada por el tiempo del boceto preparado por Matos Matos.[132] Tal vez en el futuro con los avances tecnológicos se pueda elaborar un mapa de la revolución nacionalista en Utuado, considerando colocar el punto número uno (1) en la residencia de Heriberto Castro Ríos, lugar de donde partieron los revolucionarios nacionalistas, el dos (2) en el correo, el tres (3) en la residencia de Damián Torres, el cuatro (4), los asesinatos y heridos en las inmediaciones de las calles Betances y Washington, el cinco (5), la ubicación de metralleta, el seis (6), el Cuartel de la Policía, el siete (7), la Clínica San Miguel y el ocho

---

[132] Este y demás dibujos que se encuentran el apéndice núm. 4 preparados por don Pedro Matos Matos, fueron proporcionados por el abogado retirado Luis Alberto Torres Rodríguez.

(8), la Clínica Carrasquillo – lugares en donde fueron atendidos heridos Carlos Irizarry Rivera y Agustín Quiñones Mercado, que luego murieron – y el nueve (9), el Hospital Municipal Catalina Figueras donde murieron el bombero David Torres Ramos y el policía Juan Luis Rivera Cardona.[133]

Tabla núm. 1.		**LA MASACRE DE UTUADO**					**30 DE OCTUBRE DE 1950**			
		Río Viví		Río Viví		Río Viví	Río Viví	Río Viví		
		Clinica Carrasquill o								
		Calle Dr. Adrián Cueto Rodríguez								
	C		**C**		C	**Casa**	C		C	
	a		**a**		a	**Damián**	A		a	
	l		**l**		l	**Torres**	l		l	
	l		**l**		l	**1**	l		l	
	e		**e**		e		e		e	
		Teatro		Calle		Antonio	E	Rafael		Barc
	W	San Miguel	**G**		C		u			eló
	i		**e**	**Cuarte de**	r		g		J	I
	L	Calle La	**o**	**la 4**	i		e	**2**	o	g
	l	República	**r**	**Policía**	s		n		s	l
	I	Oficina de	**g**		t		i	**Plaza**	é	e
	a	Pedro	**e**		ó		o	**Luis**	C	s
	m	Matos			b		S	**Muñoz**	e	I
			W		a		á	**Rivera**	l	a
	M		**a**		l		n		s	C
	c		**S**				c		o	a
	K		**h**		C		h			t
	i		**I**		o		e		B	ó
	n		**N**		l		z		a	l
	l		**g**		ó		L		r	i
	e		**T**		n		ó		b	c
	y		**o**				p		o	a
			n				e		s	
			3				z		a	

[133] Un excelente ejemplo, se encuentra en YouTube - Ruta de la Revolución de 1950 en YouTube "Utuado: Ruta de la Revolución de 1950", se inicia el recorrido en la antigua residencia de Heriberto Castro Ríos…

Clínica San Miguel 6		 Metralleta Colegio Royal 5		Calle Dr. Ramón		Emeterio		Betances
				Negocio y residendia de Carlos Jordán				correo | alcaldía
		Residencia de Pedro Matos						
				José		Colomer		Sánchez

Los cuatro nacionalistas, un policía y un miembro de la guardia nacional mencionados por Matos Matos, son los mismos que aparecen en la tabla número 2, más adelante (Algunos datos de los caídos…) y en el apéndice núm. 1, en dónde se puede ver que el 31 de octubre de 1950, los nacionalistas Julio Colón Feliciano, Antonio Ramos Rosario y el guardia nacional Rodríguez Alicea fueron asesinados con una ametralladora a las 2:00 de la mañana en la calle Washington. Otro nacionalista asesinado a esa hora fue Jorge Antonio González González; según su certificado de defunción, murió en la calle Betances.[134]

Los certificados de defunción y los testimonios de los combatientes nacionalistas sobrevivientes sugieren que el guardia nacional Rodríguez Alicea y el policía insular Juan Luis Rivera Cardona recibieron disparos de la ametralladora mencionada antes, colocada según se ha dicho, frente al aludido Colegio Royal ubicado en la calle Betances, luego de cruzar la calle Washington. En el caso del policía Rivera Cardona, éste murió diez minutos después de ser trasladado al hospital municipal Catalina Figueras de Utuado, el 31 de octubre de 1950 según establece su certificado de defunción. En este caso, el doctor Axtmayer certificó que Rivera Cardona murió luego de ser "abaleado en la calle", sin decir su nombre, "de una hemorragia interna" debido a "una herida de bala" que recibió al ser "baleado en la calle".[135]

Al analizar el certificado de defunción en su totalidad, es evidente que se omitió información con premeditación. Hasta ahora no se ha encontrado en la documentación consultada ningún Dr. Axtmayer trabajando en Utuado. El que el Dr.

---

[134] Ver su certificado de defunción en Apéndice 3. Certificados de defunción de los caídos en Utuado durante Revolución Nacionalista de 1950

[135] De acuerdo con Ramón Medina Ramírez, Capítulo 1, "Los hechos de Utuado" en *El movimiento libertador en la historia de Puerto Rico*, Ediciones Puerto, 2016, 328, "al llegar a la esquina formada por las calles Washington y Betances... surgieron inesperadamente centenares de disparos en breves minutos...". Sustenta su información en el periódico *El Imparcial* que señala entre los muertos a tres nacionalistas, el policía Rivera Cardona y el guardia nacional Rodríguez Alicea.

Maestre aparezca firmando todos los certificados de defunción de los combatientes nacionalistas, según se observa en Apéndice 1 y la tabla número 3, suscita la sospecha de que fue así por encargo o encomienda de un superior en el Departamento de Salud y con el aval del Departamento de Justicia.

Don Pedro Matos Matos defendía la idea de que los acontecimientos ocurridos para fines de octubre y principios de noviembre de 1950 en Puerto Rico no fueron los actos de una revolución sino un "entrampamiento nacional contra las fuerzas independentistas" que habían obtenido "SESENTA SEIS MIL VOTOS (sic) en las elecciones de 1948 y se proyectaban como una fuerza electoral capaz de vencer en las elecciones de 1952". Establece que:

> lo ocurrido en octubre del año 1950 en varias localidades simultáneamente en Puerto Rico, no fue una revolución como lo ha registrado hasta hoy la historia divulgada por el propio sistema colonialista al que servía, en su capacidad de fotuto de turno, Luis Muñoz Marín. "Aquello fue un entrampamiento nacional contra las fuerzas independentistas que habiendo obtenido SESENTA SEIS MIL VOTOS en las elecciones de 1948, se proyectaban como una fuerza electoral capaz de vencer en las elecciones de 1952. A que fueron hostigados los remanentes desorganizados del Partido Nacionalista, hasta llevarlos a la confrontación del 30 de octubre de 1950 [136]

En otras palabras, que Muñoz Marín y el Partido Popular hicieron lo posible por detener el crecimiento y progresivo arraigo que venía alcanzando el discurso independentista, demostrado en alguna medida en las elecciones de elecciones de 1948. Menos de dos años antes, el 20 de octubre de 1946 se había fundado el

---

[136] Ver apéndice 4. La Masacre de Utuado, Dibujos y textos de Pedro Matos Matos.

Partido Independentista Puertorriqueño bajo el liderato de don Gilberto Concepción de Gracia en la gallera Tres Palmas del municipio de Bayamón. Esto ocurrió después de que el Partido Popular Democrático (PPD) abandonara la ideología independentista.

Los resultados de las elecciones generales de 1948 demostraron apoyo al Partido Independentista Puertorriqueño (PIP) que, solamente a dos años de su fundación, cuyo candidato a la gobernación, el Dr. Francisco M. Susoni, obtuvo 65,351 votos; lo que representó el 10.20% de la totalidad de los votos emitidos.[137] En estas elecciones, por primera vez en la historia de Puerto Rico, el pueblo eligió directamente a su gobernante al seleccionar a Luis Muñoz Marín del Partido Popular Democrático que obtuvo 392,386 votos; lo que representó el 61.24% del total de los votos. Esos resultados no cambiaron significativamente en 1952, año de las primeras elecciones realizadas luego del establecimiento de ELA. Luis Muñoz Marín obtuvo 431,409 votos; lo que representó el 64.9% de los votos.[138] Mientras el segundo partido con mayor apoyo electoral fue el PIP que obtuvo 126,228 votos, con Fernando Milán, hijo, como candidato a gobernador; representando el 19.0% del total de votos.[139] Asimismo, Francisco López Domínguez del Partido Estadista Puertorriqueño

---

[137] Cosme Morales, J. (2017). Partidos Políticos, Sistemas Electorales y Puerto Rico. CreateSpace Independent Publishing Platform. Obtenido de https://www.amazon.com/Partidos-Pol%C3%ADticos-Sistemas-Electorales-Spanish/dp/1976521084/ref=tmm_pap_swatch_0?_encoding=UTF8&qid=&sr=

[138] Ibid.

[139] Ibid.

(PER), recibió 85,591 votos (12.87%) y Luis R. Moczó del Partido Socialista (PS), logró 21,719 votos (3.27%).[140]

Aunque el apoyo al PIP en las elecciones de 1952, fue de alrededor de un 6% mayor en comparación al cuatrienio anterior, habría que buscar respuesta a por qué ese apoyo electoral no fue mayor al proyectado por Matos Matos y otros/as que pensaban, igual que él, que era "capaz de vencer en las elecciones de 1952". Tal vez no hay una sola contestación y haya que buscar respuestas en una combinación de varios factores. Entre ellos, hasta qué punto el gobierno local, con el endoso de las autoridades federales, detuvieron el avance del independentismo en Puerto Rico. De aquí que esas expectativas de crecimiento no se materializaran como se infiere de los resultados de las elecciones generales de 1952. ¿Qué peso tuvo en esos resultados, la mencionada represión que desató la Ley de la Mordaza y la satanización del independentismo o el miedo al cuco de la independencia?

Estigmatizando al independentismo con intolerancia ideológica-política, sigue vigente y ha generado grandes tensiones y divisiones en la sociedad puertorriqueña. Asimismo, habría que evaluar cómo afectó los resultados electorales de 1952 la emigración forzosa de independentistas y simpatizantes, las luchas internas y posiblemente las dificultades en transmitir un modelo de independencia que estuviera en armonía con las aspiraciones de sus seguidores. Cuánto incidió la Ley de la

---

[140] Ibid.

Mordaza, el carpeteo y la persecución ideológica-política en desplazar al PIP como principal partido de oposición en Puerto Rico luego de las elecciones generales de 1952 y convertir en hegemónico al Partido Popular mediante una estrategia diseñada para atraer a las personas con un discurso populista y una narrativa emocional, y de reprimir a los que no creyeron en su discurso.

Reviviendo en algún grado la Santa Inquisición, siendo intolerantes con los considerados herejes. En Puerto Rico, con mayor visibilidad luego de la década de 1940, el gobierno reprimió a todos aquellos que no creyeron en el discurso de Muñoz y el Partido Popular – en particular los lideres y portavoces más radicales del discurso independentista – fueron acusados y arrestados indiscriminadamente, perseguidos, estigmatizados, diabolizados… Esas fueron las circunstancias históricas en las que fueron emboscados y ametrallados por fuerzas policiales en las proximidades en donde se unen las calles Betances y Washington los nacionalistas. Fue un proyecto y estrategia de política anti-independentista que perseguía, de cualquier manera, detener su crecimiento. De esa manera se explica la hegemonía que fue alcanzando el Partido Popular desde la década de 1940 hasta las elecciones de 1968.

Eso no niega que el gobierno bajo el Partido Popular implantó algunas reformas económicas y sociales en armonía con su visión de un mejor porvenir; de justicia social, salarial y salubrista para el pueblo puertorriqueño. Entre ellas, la reforma agraria con el objetivo de mejorar las condiciones de vida de los agricultores y promover una distribución más equitativa de la tierra.[141] En los programas de ayuda social como la distribución de almuerzos en las escuelas públicas y los trabajos temporeros en el área de la salud pública.[142] Los líderes del PPD supieron combinar elementos del populismo latinoamericano con las políticas del Nuevo Trato ("New Deal") para persuadir a los electores de las ventajas de su discurso. Apoyaron un programa de industrialización (Operación Manos a la Obra) y de control de la población con el objetivo de transformar la sociedad puertorriqueña de una fundamentada en la economía rural y agrícola a una sociedad urbana e industrial.[143] Para persuadir a los jibaros utilizaron como emblema del partido un perfil en silueta de la cabeza de un jíbaro con un sombrero de paja, típico de los trabajadores del campo en Puerto Rico, conocido como "la pava".

Pero por otro lado, reprimieron los disidentes y a los más radicales sin piedad, con mano dura, violándoles los más elementales derechos humanos. Este estudio corrobora, en alguna medida, la arrogancia e intolerancia del liderato del PPD con la disidencia. Sin embargo, aunque resulte paradójico e incomprensible, ese modelo de gobernanza sigue siendo ejemplar para algunos puertorriqueños. De ahí que se escuche a personas decir, "el país necesita un gran líder que lo enderece". Además de reprimir a la disidencia, se recurrió a justificar la mentira del

[141] https://enciclopediapr.org/content/reforma-agraria-de-1941/
[142] Ibid.
[143] Ver sobre estos aspectos https://www.encyclopedia.com/humanities/encyclopedias-almanacs-transcripts-and-maps/popular-democratic-party-ppd

ELA. De tal manera, que el liderado más conservador de ese partido vergonzosamente niega hoy que Puerto Rico es una colonia.

La muerte del nacionalista jayuyano Carlos Irizarry Rivera

Carlos Irizarry Rivera fue otro de los jóvenes combatientes nacionalistas en morir en Utuado.[144] Este era residente del barrio Coabey de Jayuya, estudiante de Leyes, Universidad de Puerto Rico, Recinto de Río Piedras (UPR-RP) y veterano de la Segunda Guerra Mundial. De acuerdo con el nacionalista sobreviviente, Heriberto Marín Torres, era poeta y bohemio.[145] Cuando comandaba a los combatientes nacionalistas en ese pueblo, fue herido de bala y llevado por Blanca Canales y Mario Irizarry a Utuado para que le dieran atención médica.[146] Su certificado de defunción establece que Irizarry Rivera murió el 1 de noviembre de 1950 a la 1:30 de la mañana, según certificara el Dr. Maestre.[147] Se lee en dicho documento que la causa inmediata de su muerte fue "la perforación de su pulmón izquierdo" debido a

---

[144] Foto reproducida del libro de Miñi Seijo Bruno, *La insurrección nacionalista en Puerto Rico-1950*, 1989, 120.

[145] Sobre sus estudios en la Universidad de Puerto Rico, Recinto de Río Piedras, ver Heriberto Marín, *Eran ellos*, Tercera edición, 2000, 63.

[146] Ver al respecto el testimonio de Blanca Canales en Seijo Bruno, *La insurrección nacionalista en Puerto Rico-1950*, 125.

[147] "Puerto Rico, Registro Civil, 1805-2001", FamilySearch (https://www.familysearch.org/ark:/61903/1:1:QVJN-87J8: Sun Mar 10 23:35:35 UTC 2024), Entry for Carlos Irizarry Rivera and Francisco Irizarry, 1 Nov 1950.

"una herida de bala" a causa de un "tiroteo con la policía".[148] Su muerte fue certificada como un "accidente" por el Dr. Maestre.[149]

Narra Marín Torres que en el momento en que la familia de Irizarry Rivera recibió la noticia de su deceso:

> Me encontraba en su casa cuando llegó la noticia. Doña Maya, la mamá, fue quien la recibió. La hija empezó a llorar, pero ella se paró en medio de la sala y con una dignidad que jamás había visto en mi vida, pidió que nadie llorase ¡nadie!, porque los que morían como murió su hijo no necesitaban lágrimas y sí admiración[150].

Irizarry Rivera fue el quinto nacionalista cuya muerte el doctor Maestre certificara como "accidente". Alrededor de 30 minutos de la antes mencionada masacre en la calle Washington, el nacionalista jayuyano, Irizarry Rivera de 29 años, había muerto en la Clínica San Miguel de Utuado.[151]

Según su certificado de nacimiento, Irizarry Rivera nació el 3 de julio de 1921 en el barrio Coabey de Jayuya.[152] Fueron sus padres Francisco Irizarry Rivera de cuarenta años y Amalia Rivera Monte de treinta y cuatro, naturales de Utuado.[153] Sus abuelos paternos eran Ramón Irizarry y Nieves Rivera, naturales de

---

[148] Ibid. En sintonía con el formulario preparado por el Departamento de Salud, si la muerte fue violenta el médico debería indicar si fue *accidente, suicidio u homicidio*.
[149] Ibid.
[150] Marín Torres, *Eran ellos*, 64.
[151] Ver "Puerto Rico, Registro Civil, 1805-2001", , FamilySearch (https://www.familysearch.org/ark:/61903/1:1:QVJN-87J8 : Sun Mar 10 23:35:35 UTC 2024), Entry for Carlos Irizarry Rivera and Francisco Irizarry, 1 Nov 1950.
[152] "Puerto Rico, Registro Civil, 1805-2001", database with images, FamilySearch (https://www.familysearch.org/ark:/61903/1:1:QVJV-L95Z : Wed Oct 04 17:03:07 UTC 2023), Entry for Carlos Irizarry Rivera and Francisco Irizarry Rivera.
[153] Ibid.

Ciales y Utuado respectivamente. Sus abuelos maternos fueron Calixto Rivera, natural de Utuado y Rosa Aponte de sesenta años, natural de Barros, Orocovis.[154] De acuerdo al censo poblacional de 1940, Rivera Irizarry de 19 años residía con sus padres y hermanos(as) en el barrio Coabey de Jayuya.[155] Su padre, Francisco Irizarry, de 56 años y su madre, Amalia, de 50 eran de ocupación comerciantes de provisiones al por mayor.[156] Su hermano mayor, Fidel de 24 años, era labrador empleado de la PRRA (Puerto Rican Reconstruction Administration).[157]

Hay algunas ambigüedades sobre las circunstancias de la muerte de ese joven nacionalista que merecen reflexión. Primero, la insensibilidad y renuencia del personal médico de Jayuya de atender a Irizarry Rivera, que se encontraba herido. Dice Blanca Canales:

> Las enfermeras huyeron y cerraron el hospital. Decidí entonces llevarlo a Utuado. (…) Lo montamos en el carro … Fuimos a la Farmacia … el farmacéutico, Guillermo Hernández, le puso una inyección a Carlos para contener la hemorragia (…) Al llegar a Utuado, dijo que tenía sed. Nos paramos en una casa y nos trajeron agua al carro. …Cuando entramos al pueblo, nos dijeron que no podíamos pasar, que había un tiroteo. Entonces Carlos empezó a arengar a la gente y a decirles que se unieran a la Revolución, y daba vivas a la República: ¡Viva Puerto Rico Libre![158]

Se deduce de la cita anterior, que llegó a Utuado en horas de la tarde del lunes, 30 de octubre de 1950. Lo llevaron a la Clínica

---

[154] Ibid.
[155] "United States Census, 1940", database with images, FamilySearch (https://www.familysearch.org/ark:/61903/1:1:KFJR-45P: Sat Jul 29 06:07:34 UTC 2023), Entry for Francisco Irizarry Rivera and Amalia Rivera De Irizarry, 1940.
[156] Ibid.
[157] Ibid.
[158] Miñi Seijo Bruno, *La insurrección nacionalista en Puerto Rico-1950*, Editorial Edil, Puerto Rico, 1989, 125.

San Miguel en donde murió, según se ha dicho, el miércoles, 1 de noviembre de ese año. Sin embargo, cuando llegaron a ese hospital, según Canales: "nos cerraron las puertas y no nos dejaron salir. (...) Nos impusimos y nos abrieron las puertas del hospital y regresamos a Jayuya. (...) Carlos murió al otro día y fue enterrado en Utuado".[159] Se puede observar en su certificado de defunción que el Dr. Maestre clasificó su muerte de "accidente". En un tiroteo las personas involucradas en el mismo, ¿mueren por "accidente"? Tampoco fue una bala perdida, sino que provino de la policía al momento de los nacionalistas jayuyanos intentar asaltar y tomar control del cuartel de ese pueblo.

Al no tener acceso al expediente médico, se generan varias dudas e interrogantes. Una de ellas: el tipo de bala utilizada por la policía en 1950, ¿tenía la potencia de matar a una persona a menos que proviniera de un disparo dirigido a un órgano vital del cuerpo humano a corta distancia? Esa duda puede llevar a pensar "que lo dejaron morir" a juzgar por la actitud con que se atendió a Blanca Canales y Mario Irizarry cuando trataron de llevar a Irizarry Rivera al hospital de Jayuya. Asimismo, los obstáculos que le pusieron para evitar que salieran de la Clínica San Miguel de Utuado. Esto puede contribuir a entender cuál era la mentalidad dominante hacia los nacionalistas, entre el personal médico, y posiblemente más allá de éstos. De ahí que surjan muchas preguntas y pocas contestaciones. Entre las preguntas, se encuentran: ¿El personal médico hizo todo lo posible por salvar

---

[159] Ibid. 126.

las vidas de Irizarry Rivera y Quiñones Mercado – como lo requiere el juramento de Hipócrates – o los habían demonizado como una plaga que había que exterminar?

Otro asunto que resulta extraño es que el mismo día y hora, el 1 de noviembre de 1950 a la 1:30 de la mañana, en otra facilidad médica, también murió Agustín Quiñones Mercado a causa de un "shock" debido a la "amputación traumática del muslo derecho", lesión causada por un "tiroteo con la policía" en la calle Washington, según certificara el Dr. Federico José Maestre.[160] ¿Fue pura casualidad que Irizarry Rivera y Quiñones Mercado, murieran el mismo día y hora en facilidades hospitalarias diferentes? Conforme al certificado de defunción abajo, el Dr. Maestre autenticó que asistió al fallecido Irizarry Rivera desde el 31 de octubre hasta el 1 de noviembre de 1950. Lo que podría significar que el joven nacionalista estuvo cerca de dos días sufriendo y agonizando de muerte: desde el 30 de octubre de 1950, en horas de la tarde cuando fue llevado a la clínica San Miguel, hasta su muerte a la 1:30 de la mañana del 1 de noviembre de ese año. Genera dudas el por qué el Dr. Maestre no indicó cuándo lo vio por última vez y, sin embargo, certificó que murió a la 1:30 del 1 de noviembre de 1950. ¿Hubo algún médico que lo atendió antes del Dr. Maestre? ¿El personal médico hizo lo posible por salvarle la vida? Son dudas y preguntas que el expediente médico y profesionales comprometidos con la verdad podrían contribuir a esclarecer.

---

[160] "Puerto Rico, Registro Civil, 1805-2001", , FamilySearch (https://www.familysearch.org/ark:/61903/1:1:QVJN-87J4 : Thu Mar 07 13:50:50 UTC 2024), Entry for Agustín Quiñones Mercado and Juan Quiñones, 1 Nov 1950.

No. 272
[Para el Encargado del Registro]

GOBIERNO DE PUERTO RICO
DEPARTAMENTO DE SALUD
NEGOCIADO DE REGISTRO Y
ESTADISTICA DEMOGRAFICA

CERTIFICADO DE DEFUNCION

DISTRITO No. 71

No. DE ARCHIVO
[No escriba en este espacio]

1. LUGAR DE DEFUNCIÓN
(a) Municipio de Utuado
(b) Zona Urbana
[Calle y Número o Barriada]
(c) Zona Rural
[Nombre del Barrio]
(d) Nombre del Hospital o Institución donde ocurrió la Defunción Clínica San Miguel
(e) Estadía en dicho Hospital o Institución
[Especifique Años, Meses, Días]

2. RESIDENCIA USUAL DEL FALLECIDO:
(a) Municipio de Utuado
(b) Zona Urbana
[Calle y Número o Barriada]
(c) Zona Rural Bo.
[Nombre del Barrio]
(d) Tiempo de Residencia en este Municipio
(e) ¿Es ciudadano de país extranjero? No (Sí o No)
Si lo es, mencione el país

3. (a) NOMBRE Y APELLIDOS DEL FALLECIDO Carlos Irizarry Rivera
(b) Si es Veterano, nombre de la Guerra
(c) No. seguridad social

4. Sexo
5. Color o raza Bl
6. (a) Soltero Casado Viudo Divorciado
6. (b) Esposo de: Viudo de: Divorciado de
Edad si vive
7. Nacido en 1920
[Día] [Mes] [Año]
8. Edad: años 30 Meses Días Si menor de un día Horas Minutos
9. Natural de Jayuya P.R.
[Ciudad o Pueblo] [Estado o País]

OCUPACIÓN
10. Oficio, Profesión u Ocupación Estudiante
11. (a) Industria o Negocio en que trabajaba U.P.R.
(b) Fecha en que trabajó por última vez en esta ocupación [mes y año]
(c) Años que ha trabajado en esta ocupación

PADRE
12. Nombre
13. Natural de

MADRE
14. Nombre de Soltera Amelia Rivera
15. Natural de Jayuya P.R.

16. (a) Firma del Informante
(b) Dirección Utuado P.R.
17. (a) Cementerio donde fué enterrado o sitio donde se trasladó el Cadáver en Utuado
(b) Fecha de Inhumación o Traslado Nov. 1 1950
18. (a) Firma del Agente Funerario
(b) Dirección Utuado P.R.
19. (a) Inscrito hoy Nov. 1 1950
[Día] [Mes] [Año]
(b) Encargado del Registro

CERTIFICACION MEDICA
20. Fecha de Defunción: Mes Nov. Día 1
Año 1950 Hora 1:30 A.M. Minutos
21. POR LA PRESENTE CERTIFICO QUE: (Complete a o b)
(a) Asistí al fallecido desde 31 Oct. 1950 hasta Nov. 1 1950 y que lo vi vivo por última vez en Nov. 1 1950.
(b) No asistí al fallecido y esta Certificación se hace a base de información suministrada por [Nombre del informante], en su carácter de [padre, madre, hermano, amigo, etc.] del fallecido

Causa inmediata de la muerte Shock
Debido a
Otras causas
DURACIÓN:
(Anótese embarazo dentro de los 3 meses antes de la defunción)
Diagnóstico confirmado por:
(a) Examen de laboratorio
[Mencione el análisis]
(b) Rayos X (c) Autopsia No
Nombre y fecha de la operación quirúrgica, si la hubo
Motivo que la requirió

El Médico subrayará la causa que crea debe ser considerada para la clasificación Estadística.

22. Si la muerte fué violenta llene los siguientes apartados:
(a) ¿Accidente, suicidio u homicidio?
(b) Fecha en que ocurrió Oct. 31 1950
(c) Sitio donde ocurrió Jayuya P.R.
(d) Especifique la lesión y el arma o instrumento que la causó
23. (a) Nombre del médico
(b) Firma del médico M.D.
(c) Fecha Nov. 1 1950
(d) Dirección Utuado P.R.

Permiso de (Enterramiento) (Traslado) expedido en Nov. 1 1950 Por

Carlos Rivera Irizarry

¿Dicen la verdad los certificados de defunción firmados por los doctores Federico José Maestre y Gabriel W. Axtmayer?

Una breve consulta al diccionario de la lengua española sobre qué es un certificado de defunción, nos dice que debe ser un "documento en que se asegura la verdad de un hecho".[161] Asimismo, debe constatar "datos fidedignos o susceptibles a ser empleados como tales para probar algo". En otras palabras, debe acreditar legalmente el fallecimiento de una persona con la fecha y el lugar en que se produjo. No obstante, a juzgar por los certificados de defunción de los caídos en Utuado – a excepción del firmado por el Dr. Domínguez sobre la muerte del bombero David Torres – todos los demás – unos más y otros menos – omiten o contienen datos falsos que hacen pensar que hubo la intención de manipular la verdad.

Con la muerte de Irizarry Rivera, cinco de los seis nacionalistas muertos en Utuado entre el 30 de octubre y el 1 de noviembre de 1950, fueron consideradas por el Dr. Federico José Maestre como "accidentes" a causa de un tiroteo. Así consta en los respectivos certificados de defunción de los combatientes nacionalistas. Cuando la documentación consultada establece que los únicos que murieron a consecuencia de un tiroteo fueron el capitán del grupo de Utuado, Heriberto Castro, y el jayuyano, Carlos Irizarry Rivera. Tres de los combatientes nacionalistas fueron asesinados cuando ya se habían rendido y habían sido desarmados por la policía y Guardia Nacional de Puerto Rico. Se

---

[161] Ver "certificación médica de defunción" en https://dpej.rae.es/lema/certificaci%C3%B3n-m%C3%A9dica-de-defunci%C3%B3n

puede ver en la tabla núm. 3 y apéndice número 1 (preparada a base de los certificados de defunción de los caídos en el 1950 en Utuado) que las muertes de Heriberto Castro Ríos, Julio Colón Feliciano, Jorge Antonio González, Agustín Quiñones Mercado y el jayuyano, Carlos Irizarry Rivera fueron certificadas como accidentes. Obsérvese que Colón Feliciano, Ramos Rosario y González González fueron asesinados a las 2:00 de la mañana del 31 de octubre de 1950. Los dos primeros, entrampados y asesinados en la calle Washington y el último, en la calle Betances. La única excepción fue la muerte de Ramos Rosario, certificada por el Dr. Maestre como homicidio.

En las inmediaciones donde se unen las calles Betances y Washington se encontraba la ametralladora que asesinó a los indefensos tres nacionalistas e hirió a otro y se llevó con sus ráfagas a un miembro de la guardia nacional y a un policía, según se desprende de sus respectivos certificados de defunción y de los testimonios de los nacionalistas sobrevivientes. Es una contradicción (según se puede ver en la tabla núm. 3 y apéndice número 1) que la muerte de Ramos Rosario fuera considerada como homicidio cuando fue asesinado a la misma hora (2:00 de la mañana) y en las mismas circunstancias que los previamente mencionados; en donde no hubo un tiroteo entre los dos bandos debido a que los combatientes nacionalistas habían sido, según se ha dicho reiteradamente, desarmados. Todo esto genera muchas preguntas que han quedado sin respuestas. ¿Por qué certificar la muerte de Antonio Ramos de homicidio y no así la de los demás asesinados a las 2:00 de la mañana del 31 de octubre de 1950? Esto puede ser una de varias señales que apuntan a una manipulación de los certificados de defunción como parte de una conspiración para asesinar a los combatientes nacionalistas.

Otras dudas afloran cuando los certificados de muerte de los nacionalistas Irizarry Rivera y Agustín Quiñones Mercado (firmados por el doctor Maestre) indican que ambos murieron el mismo día y hora – el 1 de noviembre de 1950 a la 1:30 de la mañana – en hospitales o instituciones diferentes. Se observa en los mismos que Irizarry Rivera murió en la Clínica San Miguel y Quiñones Mercado en la Clínica Carrasquillo.[162] ¿Fue pura coincidencia que los nacionalistas Irizarry Rivera y Quiñones Mercado murieran el mismo día y hora en instituciones diferentes y que sus certificados de defunción fueran preparados y firmados por el mismo médico? Además de ser empleado del hospital Municipal según el censo poblacional de 1950, ¿trabajaba el Dr. Maestre para esas dos indicadas instituciones? Esas son algunas de las dudas y misterios que provoca la lectura de las mencionadas certificaciones de fallecimientos de esos dos combatientes nacionalistas.

En Puerto Rico, tanto para el 1950 y como al presente, constituye un delito firmar un certificado de defunción falso o alterado.[163] El Código Penal de 1902 tipificaba la falsificación de documentos

---

[162] Dice el abogado retirado Luis Alberto Torres Rodríguez que cuando niño fue atendido en la Clínica Carrasquillo. Esta quedaba en la calle Dr. Cueto al lado del antiguo Banco de Ponce, éste estaba situado en los bajos de su oficina. A unos pocos pasos en donde fueron esperados y asesinados varios nacionalistas y heridos mortalmente otros. Estaba muy poco menos distante de esos asesinatos en comparación a la Clínica San Miguel.

[163] Miguel R. Garay Aubán, "El delito de falsificación de documentos en el Código Penal de Puerto Rico", Revista de derecho puertorriqueño.www.Lex Juris.

públicos y privados en sus artículos 470 a 474.[164] El art. 474 establecía que el convicto "será castigado con multa máxima de quinientos dólares o cárcel por un término máximo de seis meses, o ambas penas, a discreción del tribunal".[165] El código Penal de 1902 estuvo vigente hasta el 1974 cuando fue derogado por la ley número 115 del 22 de junio de ese año.[166] De acuerdo con la lista de "Médicos en el Área Central de Puerto Rico para el año 1951", alrededor de dos meses después de la Revolución Nacionalista, Utuado contaba con 8 médicos;[167] los siguientes, según aparecen en la Web:

Héctor A. Duvergé - Unidad de Salud Pública - Utuado

E. Feilchenfeld - Utuado

Emilio León Sentenat - Hospital Municipal - Utuado

Federico J. Maestre - Box 224 - Utuado - Nacido en Utuado

en1919, hijo de Federico Maestre Porrata e Isabel Carmona.

Manuel N. Miranda - Hospital Municipal - Utuado

Miguel Pelegrina - Box 102 - Utuado

J.A. Pérez Matos - Box 337 - Utuado

Jaime M. Vidal Féliz – Utuado

Es muy probable que la anterior lista de médicos no fuera diferente a los contratados al 30 de octubre de 1950. Llama la

---

[164] Ibid.

[165] University of Puerto Rico Law Library "Documentos históricos en https://www.upr.edu/biblioteca-dupr/bd-derecho-documentos-historicos/

[166] https://www.lexjuris.com/lexlex/Leyes2014/lexl2014246.pdf

[167] Ver Historia y Genealogía PR Contando y Recordando, "Médicos en el Área Central de Puerto Rico para el año 1951", http://historiaygenealogiapr.blogspot.com/2012/11/médicos-en-el-área-central-de-puerto.html .

atención que los datos de los padres del Dr. Maestre aparezcan en el desglose de médicos, no así los de los demás. Tampoco aparece en la lista de médicos de Utuado y Arecibo el misterioso Dr. Axtmayer. Llama poderosamente la atención que todos los certificados de defunción de los combatientes nacionalistas fueran firmados por el mencionado Dr. Maestre. Esto fortalece la sospecha de un manejo irregular o de la manipulación de los certificados de defunción de casi todos los caídos en Utuado con la idea de borrar de la historia utuadeña la masacre de la calle Washington donde fueron asesinados la mayoría de los nacionalistas y los otros por los disparos indiscriminados de una ametralladora manejada por la Guardia Nacional y la Policía de Puerto Rico. Masacre afirmada en los testimonios de los nacionalistas sobrevivientes al sostener que los estaban esperando para matarlos a muy pocos pasos de dónde quedaba el cuartel de la policía de Utuado en el 1950.

Edificio que para el 1950, albergaba el cuartel de la policía en Utuado

Tabla núm. 2. Algunos datos sobre los caídos en la Revolución Nacionalista de 1950 en Utuado, conforme con sus certificados de defunción

		Nombre	Fecha de defunción	Edad	Lugar y clasificación de su muerte	Hora	Ocupación
NACIONALISTAS	1	Heriberto Castro Ríos	30 oct. 1950	28 años	Calle Dr. Cueto (Accidente)	3:00 p.m.	Carpintero
	2	Julio Colón Feliciano	31 oct. 1950	22	Calle Washington (Accidente)	2:00 a.m.	Carpintero
	3	Antonio Ramos Rosario	31 oct. 1950	32	Calle Washington (homicidio)	2:00 a.m.	Obrero agrícola
	4	Jorge Antonio González González	31 oct. 1950	20	Calle Betances (Accidente)	2:00 a.m.	Obrero agrícola
	5	Agustín Quiñones Mercado	1 nov. 1950	37	Clínica Carrasquillo (Accidente)	1:30 a.m.	Hojalatero
De Jayuya	1	Carlos Irizarry Rivera	1 nov. 1950	30	Clínica San Miguel (Accidente)	1:30 a.m.	Estudiante Universitario de Leyes en la UPR-RP
Otros ciudadanos	1	David Torres Ramos	30 oct. 1950	32	Hospital Municipal de Utuado Catalina Figueras (homicidio)	12:06 p. m.	Bombero
	2	José Rodríguez Alicea	31 oct. 1950	32	Calle Washington (homicidio)	2:00 a.m.	Guardia Nacional
	3	Juan Luis Rivera Cardona	31 oct. 1950	38	Hospital Municipal de Utuado Catalina Figueras (homicidio)	5:00 p.m.	Policía Insular
	4	José Álvarez de Jesús	9 nov 1950	28	Clínica San Miguel. Fue herido en la Calle Antonio R. Barceló el 30 de octubre de 1950 (Accidente)[168]	7:30pm	Oficinista en Industria de Despalillado de Tabaco

[168] Sin embargo, el certificado de defunción dice que producto de una "bala perdida". La versión de los nacionalistas sobrevivientes fue confirmada por el tribunal al exonerarlos de la acusación de su muerte.

Según se ha visto, los asesinatos de 4 de los 5 nacionalistas residentes de Utuado, más la muerte del jajuyano Carlos Irizarry Rivera, fueron certificados como "accidentes" por el Dr. Federico José Maestre Carmona,[169] según se puede ver en las diferentes certificaciones de defunción firmadas por él. También se ha dicho que la única muerte certificada por el Dr. Maestre como homicidio fue la de Antonio Ramos Rosario.[170] Este fue asesinado a las 2 de la mañana al igual que Julio Colón Feliciano en la calle Washington; ambos a causa de una "Bullet Wound Abdomen" (Herida de Bala en el Abdomen) debido a un "tiroteo" según certificó Maestre Carmona.[171] Antonio contaba con 32 años y residía en el barrio Viví Abajo. Julio, conforme con su certificado de defunción, apenas tenía 22 años y residencia en el barrio Salto Arriba.[172]

El quinto de los combatientes nacionalistas en caer fue el mencionado Agustín Quiñones Mercado. Según su certificado de defunción, murió en la Clínica Carrasquillo luego de la amputación de su pierna desde el muslo derecho en circunstancias que provocan dudas como se verá más adelante. Habrá quiénes piensen que los doctores Maestre y el misterioso Axtmayer cumplieron con todos los cánones de la ética médica.

---

[169] Ver los certificados de defunción al final de cada pequeña biografía de los caídos en la insurrección nacionalista de 1950 en Utuado. Ver también Tabla núm. 3. Causas de las muertes de los nacionalistas en Utuado.

[170] Certificado de defunción núm. 267, Distrito 71 en Puerto Rico, Registro Civil, 1805-2001 Utuado Defunciones 1950-1960, www.familysearch.org.

[171] Ver ambas certificaciones de defunciones al final de cada una de sus pequeñas biografías.

[172] Ver su Certificado de defunción núm. 268, Distrito 71 en Puerto Rico, Registro Civil, 1805-2001 Utuado Defunciones 1950-1960, www.familysearch.org o al final de su pequeña biografía.

Dirían que serían incapaces de contradecir los principios del juramento de Hipócrates, considerado el padre de la medicina. Un juramento que obliga al médico a decir la verdad; a respetar la dignidad de los pacientes; a tratarlos con el mejor conocimiento médico. Sin embargo, muy probablemente, los asesinatos de los combatientes nacionalistas – catalogados y certificados por el Dr. Maestre como "accidentes" – serían para muchos un cuento, un bocado difícil de digerir. Otros pensarían que lo ocurrido en esas calles Betances y Washington, principalmente en ésta última donde ocurrieron la mayoría de los asesinatos, fue un "drama trágico", resultado de una conspiración, de un plan para asesinarlos.

	Tabla núm. 3 -Causas de las muertes de los nacionalistas caídos en Utuado, conforme con sus respectivas certificaciones de defunción		
1	Heriberto Castro Ríos	"Bullet Wound Chest", es decir, en su traducción "herida de bala en el pecho"	Certificada por Dr. Federico José Maestre Carmona de **accidente**
2	Agustín Quiñones Mercado	de un shock debido a la "amputación traumática del muslo derecho", lesión causada por un **"tiroteo** con la policía"	Certificada por Dr. Federico José Maestre Carmona de **accidente**
3	Julio Colón Feliciano	"Bullet Wound Abdomen" (herida de bala abdomen).	Certificada por Dr. Federico José Maestre Carmona de **accidente**
4	Antonio Ramos Rosario	"Bullet Wound Abdomen" (herida de bala abdomen)	Certificada por Dr. Federico José Maestre Carmona de homicidio
5	Jorge Antonio González González	"Bullet Wound Abdomen" (herida de bala abdomen)	Certificada por Dr. Federico José Maestre Carmona de **accidente**
6.	Carlos Irizarry Rivera	Shock Perforación pulmón Izquierdo debido a herida de bala.	Certificada por Dr. Federico José Maestre Carmona de **accidente**

¿Se planificó la Masacre de las calles Washington y Betances?

Aquí iremos a lo medular al intentar contestar las preguntas más cruciales de toda esta tragedia. ¿Se planificó las muertes de los caídos en las calles Washington y Betances? ¿Hubo o no un plan para ejecutar a los combatientes nacionalistas en Utuado? Si es así, ¿quiénes conspiraron con esos propósitos? Primero, intentaremos examinar qué dicen al respecto los testimonios de los nacionalistas sobrevivientes a la revolución de 1950 en Utuado, el contexto histórico y los posibles responsables.

Para intentar contestar si hubo o no un plan de asesinar a todos los nacionalistas que fueron obligaros a bajar por la calle Betances en dirección al cuartel de policía, primero veamos un fragmento del testimonio de José Ángel Medina Figueroa:

> Por la noche llegó la Guardia Nacional. Nos pidieron que nos entregáramos. Entonces tiramos bombas Molotov. Se disparó una para cada esquina y otra para otra esquina (sic). Ninguna explotó y no pudimos escapar. ¿Qué hacer? "Si salimos, nos van a matar", pensé, porque yo estuve en la Guardia Estadual (sic). Yo les dije: "Tan pronto nos cojan, nos fusilan", porque yo había leído lo de Elías Beauchamp y también lo del cafetín donde estaba Ángel Mario Martínez y Pedro Crespo.
>
> Pero, al fin de cuentas, salimos. El único herido era Tony. Nos registraron, nos desnudaron casi. Nos quitaron las correas frente a la plaza y nos dijeron: "Lo sentimos, pero los vamos a fusilar". Tony les contestó: "Ustedes son unos cobardes. Estamos desarmados y el miedo que nos tienen. ¿Por qué no lo hacen de igual a igual? ¿Por qué no de frente?"
>
> Entonces nos puyaron con la bayoneta. Seguimos por la calle con las manos sobre la cabeza. Se divide la Guardia Nacional, se cruzan. ¡Los van a fusilar! Y nos entran a tiros con la ametralladora.[173]

[173] Seijo Bruno, *La insurrección nacionalista en Puerto Rico-1950*, 147.

En el testimonio anterior hay como mínimo dos aspectos que sugieren una conspiración. Primero, la frase "Lo sentimos, pero los vamos a fusilar", es decir, este soldado de la Guardia Nacional sabía lo que les esperaba a los nacionalistas. Además, explica el por qué se colocó una ametralladora en las inmediaciones de dónde se unen las calles Betances y Washington.

Añade Medina Figueroa:

> "La Guardia Nacional mató a un guardia nacional y un policía. El guardia nacional estaba a la derecha. Le tiraron de espalda, porque los tiros salieron por el frente".[174]

Este otro fragmento apunta a la macabra idea de que se asesinó a los nacionalistas y a los miembros de la policía y la guardia nacional que los conducían al cuartel de la policía o habían sido posteados en las inmediaciones donde ocurrieron los sucesos, con el propósito de hacer creer que hubo un tiroteo entre los nacionalistas y los miembros de la policía y la guardia nacional para involucrar a Carlos Jordán en el tiroteo y así justificar los disparos.

El segundo aspecto que apunta a una conspiración es la preocupación de Medina Figueroa – basada en su experiencia como exmiembro de la Guardia Nacional – al percibir que la policía estaba buscando la manera de reajustar cuentas con los nacionalistas utuadeños, ya que sabían que Elías Beauchamp e Hiram Rosado habían asesinado el 23 de febrero de 1936 por matar al jefe policíaco, el coronel Riggs. Asimismo la referencia a Ángel Mario Martínez y Pedro Crespo por estar involucrados

---

[174] Ibid., 148.

ese mismo día en los sucesos de Utuado en donde cayó el primero.[175]

Otra señal que sugiere que hubo una conspiración se encuentra al final del aludido testimonio de Gilberto Martínez, quién dice: "*Nos hicieron caminar... y luego bajar por la calle Betances. Al llegar cerca de la esquina Washington y Betances, surgieron inesperadamente unas descargas y algunos cayeron, otros nos tiramos al suelo".*[176]

Más claro y preciso es el recuerdo de Eladio Olivero Albarrán:

> Nos rendimos en la madrugada del 31 de octubre cuando nos dieron el conteo para que nos rindiéramos. Nos dijeron que nos quitáramos las correas y [que] nos pusiéramos las manos en la nuca. Nos ordenaron marchar por la parte sur de la plaza de recreo y bajar por la calle Betances. Al llegar a la esquina de las calles Washington y Betances, nos ametrallaron.[177]

Tal vez el testimonio más completo lo ofrece Ángel Colón Feliciano quién dice que se había fraguado un plan para ejecutar a todos los que se habían rendido y habían sido arrestados luego de bajar de la casa del presidente de la Junta Municipal Nacionalista de Utuado, Damián Torres Acevedo.

Rememora Colón Feliciano que la Guardia Nacional llegó a Utuado "de siete y media a ocho de la noche".[178] Pero no fue "hasta altas horas de la noche" que se les solicitó que salieran de

---

[175] Ver más adelante el Apéndice 2. "A quemarropa el asesinato del nacionalista Ángel Mario Martínez Ríos".

[176] Seijo Bruno, *La insurrección nacionalista en Puerto Rico-1950*, 148.

[177] Ibid., 149.

[178] Ibid., 144.

la residencia de Torres Acevedo.[179] Añade Colón Feliciano "yo creo que los planes que tenía esa gente era matarnos a nosotros, porque ellos esperaron hasta altas horas de la noche para indicarnos que saliéramos".[180] Señala que ellos apagaron la luz en donde se encontraban y vieron cuando la guardia nacional colocó "una ametralladora en la plaza y rodearon la casa" de Torres Acevedo.[181]

"A las doce de la noche, por medio de unos altoparlantes" se les solicitó que salieran a la calle garantizándoles sus vidas, que estaban a la "merced de ellos".[182] Al ver que éstos no se rendían le dieron "cinco minutos" para que salieran "o si no, iban a bombardear la casa con granadas".[183] Los combatientes nacionalistas se reunieron para decidir qué hacer: salir o no de la residencia. Algunos, entre ellos, los hermanos Julio y Ángel Colón Feliciano, José Ángel Medina y Eladio Olivero no estaban dispuestos a salir, pero, al fin, salieron. Lo primero que hicieron los miembros de la guardia nacional fue desarmarlos y ordenarles caminar en dirección a la parte sur y más baja de la plaza de recreo Luis Muñoz Rivera. Estando aquí narra Ángel Colón Feliciano:

> nos pusieron en fila, nos mandaron a poner las manos en la nuca, a quitarnos los cinturones y los zapatos y nos quitaron todo los que teníamos en los bolsillos. Nos dieron la orden de caminar pero, se supone que, para llevarnos al cuartel, nos tenían que tirar por la calle Barceló, que es más cerca, pero nos llevaron por la calle Betances en dirección a la calle Washington. Cuando

[179] Ibid.
[180] Ibid.
[181] Ibid.
[182] Ibid.
[183] Ibid.

> llegamos a la calle Washington, ya la policía nos estaba esperando… Cuando íbamos llegando al cuartel … allí había una ametralladora y estaban muchos guardias nacionales. … entonces se sintió una descarga de ametralladora y, es claro, cayeron los de alante (sic), entre ellos estaba mi hermano.[184]

En la cita anterior, dice Colón Feliciano: "cuando llegamos a la calle Washington, ya la policía nos estaba esperando". Es decir, apunta a que la Policía y la Guardia Nacional habían coordinado asesinarlos. (Siguiendo las instrucciones y lo planificado por ¿quién o quiénes?)

Continúa narrando Colón Feliciano:

> Tony Ramos estaba al lado mío. Cuando él cayó, yo me tiré al piso. Cuando oí la descarga me tiré al piso. … Entonces empezaron a oírse los gritos de los compañeros. Estuvieron mucho rato tirando sobre nosotros. Mucho, mucho rato. Entonces salió una gente de allá de Cumbre Alta y les gritaron: "¡Miren, asesinos, criminales!" Entonces ellos empezaron a tirar para allá y le avisaron a la gente que cerraran las puertas, que se fuera todo el mundo de la calle y cerraran las puertas de las casas.[185]

Los testimonios anteriores, concuerdan en términos generales en que la Guardia Nacional llegó a Utuado a eso de las siete y treinta a ocho de la noche muy armados y con el personal suficiente para doblegar a los nacionalistas atrincherados en la residencia de Torres Acevedo a salir cuando ellos decidieran. No lo hicieron de inmediato a su llegada a Utuado, ¿porque era parte del plan esperar a la madrugada del día siguiente (31 de octubre de 1950) para cuando la población estuviera durmiendo y, bajo la sombra de la noche, fusilarlos? Esto explica por qué esperar alrededor de la media noche o la madrugada del día siguiente para obligarlos a

---

[184] Ibid. 145.
[185] Ibid.

salir de la residencia de Damián Torres Acevedo en donde se habían atrincherado.

Segundo, de quién o quiénes provino la idea de esperar a la media noche o después para que bajaran de la mencionada residencia de Torres Acevedo. Tercero, de dónde provino la idea de conducir a los nacionalistas por la calle Betances cuando la ruta mucho más cercana y directa para llegar al cuartel de la policía era la calle Barceló. ¿Quién o quiénes idearon la ruta de la calle Betances para esperarlos y asesinarlos con una ametralladora ubicada en la periferia de dónde se une ésta con la Washington según se ha visto en los testimonios de los sobrevivientes nacionalistas y del análisis de las certificaciones de defunción de los caídos. Estas últimas, tienden a confirmar que hubo un plan para asesinarlos.

Cuarto, la documentación consultada afirma un manejo irregular o manipulación de los certificados de defunción de los combatientes nacionalistas y del policía insular, Juan Luis Rivera Cardona, así como la del guardia nacional, José Rodríguez Alicea. Los testimonios son uniformes en cuanto a que se habían rendido, habían sido registrados, desarmados y se les ordenó a poner las manos sobre la cabeza y, a punta de armas, obligados a caminar desde la parte sur de la plaza de recreo y a bajar por la calle Betances hasta llegar a las inmediaciones donde se une con la Washington donde fueron ametrallados. Las certificaciones de muerte merecen una ponderada y templada reflexión en particular por los especialistas en criminología y ciencias forenses. Esos puntos de vista son importantes para explicar esos hechos de una manera integral y coherente en todo su conjunto.

Al momento de la Revolución Nacionalista de 1950 en Utuado, eran lideres políticos sobresalientes el alcalde Dolores Rivera Candelaria (1945-1952)[186] y María Libertad Gómez, única mujer en la Asamblea Legislativa desde 1940 hasta el 1952. Ambos dirigentes habían sido inicialmente miembros del Partido Liberal Puertorriqueño y luego del Partido Popular Democrático. Estos ayudaron a fundar este último en 1938 bajo el liderato de don Luis Muñoz Marín. Entre los fundadores también estuvo Ermelindo Santiago Rivera, alcalde de Utuado de 1952 a 1968.[187] Comenta el abogado retirado, Luis Alberto Torres Rodríguez: "en Utuado se hacía lo que dijera María Libertad Gómez".[188]

Ésta ni tan siquiera se dignó como legisladora en solicitar una investigación sobre esos sucesos. ¿Eran parte o conocían esas dos personas si se orquestó un plan para

[186] Su foto corresponde al periodo que fue presidente de la Legislatura municipal, aunque en su tiempo se le llamaba Asamblea Municipal.
[187] "Dylia Notas para mi historia" en https://notasparamihistoria42.blogspot.com/2015/03/dylia-m.html
[188] Conversación con Luis Alberto Torres Rodríguez en la Égida Miraflores, Arecibo, 23 de junio de 2023.

asesinar a los nacionalistas? ¿A eso se alió la rama judicial? ¿El liderato político de oposición conocía de esos planes? Los abogados involucrados en la defensa de los nacionalistas, ¿cuestionaron ante los tribunales, algunas de las dudas generadas por los certificados de defunción de los caídos combatientes nacionalistas? Es muy probable que no, debido a la mentalidad generalizada para ese tiempo, de lo que decían los médicos era la verdad única e irrefutable.

Los interrogatorios y contrainterrogatorios en el proceso judicial arrojarían muchísima luz sobre este aspecto y otros relacionados a la Revolución Nacionalista en Utuado. ¿Existen? De la mirada hace algún tiempo, de los documentos trasladados del Departamento de Justicia al Archivo General de Puerto Rico, no recuerdo haber visto nada.[189]

Aunque debo confesar que no estaba en mi mente abordar el presente tema entonces. Me seducía la muerte de Albizu Campos y qué decían los médicos que lo atendieron mientras estuvo en el Hospital Presbiteriano de San Juan, asunto cuya examinación queda pendiente. El proceso judicial a los nacionalistas de Utuado es un tema que sería un buen reto principalmente para los historiadores que han complementado su formación profesional con la abogacía.

---

[189] Ver Inventario del Fondo Documental (Departamento de Justicia, Serie: Documentos Nacionalistas [Tarea 90-29], trasladados al Archivo General de Puerto Rico en virtud de la sentencia emitida el 30 de agosto de 1989 por el Tribunal Superior de Puerto Rico, Sala de San Jua [caso civil núm. KPE 88-1194 (904)]).

Las circunstancias en que fueron tiroteados el policía Juan Luis Rivera Cardona y el miembro de la Guardia Nacional, Rodríguez Alicea, apuntan a que no fueron diferentes a los nacionalistas esperados y asesinados en las inmediaciones en dónde se unen las calles Betances y Washington, más en dirección a esta última como se puede ver en la foto del referido periódico *El Imparcial*.[190] Otro asunto importante que necesita mayor explicación es ¿por qué las muertes de los nacionalistas, a excepción de la de Antonio Ramos Rosario, fueron consideradas como "accidentes" y no así las del guardia nacional, José Rodríguez Alicea, y la del policía insular, Luis Rivera Cardona, certificadas como homicidios?

Cuando las circunstancias del asesinato del guardia nacional, José Rodríguez Alicea, y el policía Rivera Cardona – muriendo, conforme con su certificado de defunción, diez minutos después – son similares a la de los nacionalistas asesinados, es imposible ignorar las dudas que generan. El policía Rivera Cardona, ¿murió como resultado de una hemorragia interna debido a una herida de bala, según certificara el Dr. Axtmayer?

Este misterioso médico genera a su vez varias dudas e interrogantes. Primero, según indicado, no aparece en la lista de médicos en Utuado para el 1951. Alrededor de dos meses después de la revolución – ante la escasez de médicos – es muy probable que esa lista no sufriera grandes cambios a la del año anterior. No se sabe por ahora cuándo fue contratado por el

[190] Ver imagen en Seijo Bruno, *La insurrección nacionalista en Puerto Rico-1950*, 157.

Distrito de Arecibo. Como indico en la pequeña biografía del policía Luis Rivera Cardona, se omite en su certificado de defunción (sin saberse si se hizo con premeditación) el nombre de la calle y la hora en que fue abaleado.

Otra duda que aflora es que no se indica de dónde provino el disparo que lo hirió y provocara su muerte 10 minutos más tarde. ¿Esto se hizo con la intención de acusar a los nacionalistas del disparo que provocó su muerte? ¿Qué provocó las tachaduras en más de una ocasión en su certificado de defunción, según se puede observar con respecto al día de su muerte, firmado por Axtmayer? Tal vez un error en su certificado de defunción con respecto a un dato es posible, pero dos induce a dudas y sospechas. Con respecto a este asunto, queda en el aire, sin contestarse, si el Secretario de Salud, el Dr. Juan A Pons, estaba al tanto de ese manejo irregular de los certificados de defunción de los caídos en la Revolución Nacionalista de 1950 en Utuado. ¿Quién delegó en el médico Maestre Carmona la tarea de redactar y de firmar todos los certificados de defunción de los caídos en Utuado? Cuando, de acuerdo con el censo de 1950, era empleado del Hospital Municipal y debió de haber en Utuado alrededor de ocho médicos a juzgar por la lista de 1951.

El razonamiento más elemental sobre este asunto apunta a que ese doctor se le asignó esa tarea como parte de un plan para encubrir esos asesinatos y buscar la manera de culpar a los nacionalistas y su liderato de las muertes vinculadas a la Revolución Nacionalista en Utuado. Es difícil no pensar que se busca intentar cambiar o ajustar la escena de los hechos a petición de quién o quiénes perversamente conspiraron.

Todos esos cuestionamientos son aplicables a José Trías Monge, el entonces Procurador General de Puerto Rico (1949-1953) y Secretario de Justicia (1953-1957). ¿Esos dos funcionarios públicos, cumplieron con su deber de garantizar el debido proceso de ley a los nacionalistas acusados o, en la oscuridad, buscaron justificar aplicarles la mencionada Ley 53, la ley de la Mordaza, a éstos? Aunque la Ley núm. 53 fue derogada en 1957, la persecución ideológica-política continuó principalmente en la modalidad del carpeteo con la intensión de demonizar, criminalizar y encarcelar a los que profesaban el independentismo. Alrededor de seis meses después de haber sido aprobada la ley de la mordaza, el 2 de noviembre de 1948, fue Muñoz Marín elegido gobernador de Puerto Rico en las primeras elecciones generales en las que los puertorriqueños votaron por su gobernador. Bajo su mandato, impulsó la creación del ELA de Puerto Rico que entró en vigor en 1952 con la aprobación de la Constitución de Puerto Rico.

Las declaraciones de Trías Monge de que: "al parecer de los médicos Albizu Campos padecía de esquizofrenia tipo paranoide", podría significar, primero, que era también su opinión, basada en la opinión médica, o sea, en "la ciencia" y, por lo tanto, en la verdad y la posición del estado.[191] Sin investigar –

[191] Ver y escuchar "Albizu Campos, rompiendo el silencio", Reportaje especial transmitido en el 1985, donde la periodista Sylvia Gómez de

haciéndose de la vista larga o ciego a las denuncias de Albizu Campos – de que, mientras estuvo confinado en la cárcel La Princesa, fue expuesto a descargas de radiación. Eso es una lectura de su noción y la de su gobierno en ese momento en torno a la figura del líder nacionalista. Esas son algunas preguntas y dudas que aún tienen que contestar los departamentos de Salud y de Justicia. Contestar transparentemente y con la verdad sería la manera más idónea por parte de esas dos agencias de rendir cuentas sobre su papel durante esos acontecimientos.

Por último, la documentación consultada sugiere que sólo se practicó autopsias al bombero David Torres Ramos y al policía Luis Rivera Cardona. ¿Por qué no a Agustín Quiñones Mercado y a Carlos Irizarry Rivera que murieron el mismo día y hora en instituciones hospitalarias diferentes? ¿Por qué no a los demás caídos? ¿Esto se hizo con premeditación? ¿Porque las autopsias podrían develar y registrar rastros diferentes e inimaginables a los que posiblemente se pretendían esconder?

Entonces, ¿quiénes fueron los principales artífices o autores de ese macabro plan? ¿Quién fue su autor principal? ¿Se pretendía a cualquier costo justificar la aplicación de la Ley de la Mordaza y así detener el arraigo en las masas puertorriqueñas del discurso nacionalista revolucionario que caracterizó al PNPR bajo dirección de Pedro Albizu Campos? La documentación consultada sugiere que, para evitar el arraigo del discurso nacionalista, el gobierno estadounidense, en complicidad con el

---

Telenoticias Canal 2 de Telemundo investiga los hechos relacionados con la muerte y tortura del líder nacionalista Pedro Albizu Campos.

de Puerto Rico, los persiguió, los acusaron de actos de terrorismo; a que se manipularon los datos y el proceso judicial logrando el encarcelamiento de su liderato y el destierro de Albizu Campos por alrededor de once largos años. Como si eso no fuera suficiente, volvieron a encarcelarlo a raíz del ataque al congreso estadounidense en el 1954. Cuando fue excarcelado en noviembre de 1964 – producto de la presión nacional e internacional – "ya estaba muerto", como expresó su esposa Laura Meneses. Murió el 21 de abril de 1965; alrededor de cinco meses después de su indulto. No obstante, la persecución al independentismo no se detuvo.

La muerte del civil José Antonio Álvarez de Jesús

Consta en su certificación de defunción que murió en la Clínica San Miguel de Utuado el 9 de noviembre de 1950 a causa de una perforación en el vientre debido a una bala perdida.[192] Además establece según se observa en la siguiente imagen, recibió un disparo el 30 de octubre de 1950 en la calle Antonio R. Barceló, sin establecer el lugar específico en ésta ni la hora. En uno de sus extremos, esa calle se une con la George Washington quedando frente al mencionado antiguo cine[193] y en la esquina de la calle Antonio R. Barceló en donde se situaba el aludido cuartel de la policía en 1950. También establece su certificado de defunción

---

[192]"Puerto Rico, Registro Civil, 1805-2001," database with images, Family Search (https://www.familysearch.org/ ark:/61903/1:1:QVJN-87VW : 30 December 2020), José Álvarez de Jesús, 11 Sep. 1950; citing Utuado, Puerto Rico, Estados Unidos de América, Puerto Rico Departamento de Salud and Iglesia Católica (Puerto Rico Department of Health and Catholic churches), Toa Alta.

[193] El antiguo cine de Utuado servía además de cine, teatro y salón para graduaciones. Fue uno de los centros culturales más importantes de Utuado hasta que cerró sus puertas en la década de 1980. Actualmente, el edificio alberga la iglesia evangélica La Roca.

que su muerte fue catalogada y certificada como accidente por el Dr. Federico José Maestre.

No obstante, según se deduce del testimonio de Colón Feliciano, antes de la muerte de Castro Ríos, se había perforado a balazos por la espalda al civil Álvarez de Jesús. Sobre la muerte de este civil dice Colón Feliciano:

> A nosotros nos acusaron de matar a un bombero y de matar a un civil. Cuando nosotros estabamos frente a la casa de Damián Torres para atacar el cuartel, viene el civil por aquí, por la calle Barceló. Viene de espalda al cuartel y de frente a nosotros, hacia la plaza. Pues al civil lo acribillaron a balazos por la espalda. Los testigos que presenciaron eso y el abogado dicen que nosotros no pudimos haber sido porque nosotros estabamos por áca, de frente a él, de frente al cuartel, y esa persona viene en dirección a la plaza de recreo y los tiros lo cogieron por la espalda. ¡Pues no podiamos ser nosotros![194]

Esta versión contradice algunos aspectos contenidos en el mencionado certificado de defunción. Colón Feliciano sostiene en la cita anterior que los disparos se produjeron "cuando nosotros estabamos frente a la casa de Damián Torres para atacar el cuartel". Lo que significa que ese tiroteo se produjo temprano en la tarde del 30 de octubre de 1950, antes de acuertalarse en un segundo piso del edificio en donde se encontraba la residencia del presidente de la Junta Municipal Nacionalista, Damián Torres Acevedo. Además, Colón Feliciano establece en esa cita que lo "acribillaron a balazos por la espalda". Por el contrario, el certificado de defunción de Álvarez de Jesús hace referencia a una bala perdida que perforó su vientre. Esto apunta a que se manipuló el certificado de defunción con la intención de acusar a los combatientes nacionalistas de esa muerte.

---

[194] Seijo Bruno, *La insurrección nacionalista en Puerto Rico-1950*, 147.

Otro asunto que llama la atención y genera dudas en el certificado de defunción de Álvarez de Jesús es que el Dr. Maestre, quien certifica la muerte, y el funcionario del Registro Tomás Beauchamp, aparecen firmandolo el mismo día, 10 de noviembre de 1950. ¿Fue por causualidad que firmaron el mismo día o se reunieron para cuadrar su contenido? Ver reproducción del certificado más adelante.

Asimismo, crea cierta curiosidad la identidad del 'testigo de marca' en dicho certificado en que aparece con el nombre de Modesto Rivera. En los certificados del Registro Demográfico de Puerto Rico, el 'testigo de marca' es una persona que atestigua la identidad de la persona que solicita el certificado. Se podría inferir que ese 'testigo de marca', se trataba del profesor Modesto Rivera Rivera (1897-1982). Una de las referencia que escuché sobre él fue la del abogado retirado, Luis Alberto Torres Rodríguez, quien dijo que, aproximadamente para el 1960, lo conoció cuando era estudiante en la Universidad de Puerto Rico, Recinto de Río Piedras. Además de ser profesor, me indicó Torres Rodríguez: "era un conocido miembro del PPD" que había trabajado con la exalcaldesa de San Juan, Felisa Rincón Marrero de Gautier (conocida también como Doña Fela).[195] Esta fue la primera mujer en ocupar ese cargo de 1946 a 1968. Indica Torres Rodríguez que, para la década de 1950, Rivera Rivera visitaba con frecuencia Utuado debido a que su esposa era hermana de la cónyuge del conocido comerciante utuadeño, don Hiram Davis,

[195] Conversación con Torres Rodríguez en la Égida Miraflores, Arecibo, septiembre de 2023.

dueño de la tienda de ropa "El Encanto" situada en la calle Barceló.

En el texto de *Un siglo de lucha educativa: legado histórico de la Asociación de Maestros*, publicado por esta organización en diciembre de 2012, se menciona que, en 1968, Rivera Rivera se convirtió en su decimotercer presidente, luego de haber servido por muchos años como vicepresidente.[196] Además, se indica que nació, en el 1897, en el pueblo de Carolina y que dedicó su vida a la docencia como profesor en la Universidad de Puerto Rico, Facultad de Educación. Si el doctor Rivera Rivera es el que aparece en el certificado de defunción de Álvarez de Jesús, entoces habría que preguntarse por qué. Si en efecto es él, entonces ¿qué vínculo si alguno tuvo con el manejo irregular de las certificaciones de defunción de los caídos en Utuado, según se ha planteado? Asimismo, cabe preguntar si estuvo involucrado en la planificación y ejecución de los nacionalistas en Utuado. Por el momento, son asuntos y preguntas que deben aclarse y contestarse.

Dice Glorimar Rodríguez González, en referencia al escenario en que resultó tiroteado el civil Álvarez de Jesús, que la policía sacó de la zona de fuego cruzado entre la policía y nacionalistas al periodista Jacobo Córdova del *El Imparcial*, al resaltar "la policía lo obligó a salir del área".[197] Añade que Córdova "describió el ánimo de los agentes activos el 30 de octubre como uno de

---

[196] Esta referencia está disponible en el siguiente enlace https://issuu.com/ampr/docs/pdf1

[197] Rodríguez González, *Historia del Partido Nacionalista en Utuado*, 138.

nerviosismo".[198] Ese nerviosismo, ¿podría sugerir sentido de culpa?

No obstante, cuando se ventiló el caso de Álvarez de Jesús en el tribunal, la defensa de los nacionalistas pudieron probar que los tiros que lo impactaron vinieron del cuartel y así exonerarlos de esa acusación.[199] Hoy queda claro y sin dudas que el certificado de defunción de Álvarez de Jesús fue manipulado al contradecir la hora y la dirección del disparo que provocó días más tarde su muerte .

Para tener una idea más completa de Álvarez de Jesús, examinemos algunos datos adicionales sobre su vida. Este nació, según su certificado de nacimiento, el 8 de enero de 1918 en el barrio Rosario de Arecibo.[200] Al momento de nacer, su padre José Perfecto Álvarez Rivera contaba con 42 años y era de ocupación marino.[201] Mientras su madre, Providencia de Jesús de 30 años era natural de Utuado y de ocupación, ama de casa.[202] Los abuelos paternos de Álvarez de Jesús fueron Manuel Álvarez y

---

[198] Ibid.
[199] Ibid., 138.
[200] "Puerto Rico, Registro Civil, 1805-2001," database with images, FamilySearch (https://www.familysearch.org/ark:/61903/1:1:QVJQ-WT7S : 31 December 2020), José Antonio Álvarez de Jesús, 8 Jan 1918; citing Arecibo, Puerto Rico, Estados Unidos de América, Puerto Rico Departamento de Salud and Iglesia Católica (Puerto Rico Department of Health and Catholic churches), Toa Alta. Sin embargo, conforme con su certificado de defunción como se puede ver más adelante, nació en el 1922. Es muy probable que su padre que aparece de informante olvidara la fecha. En algunos documentos oficiales aparece sólo primer nombre. Ejemplo de esto son sus certificados de nacimiento y defunción. Igual situación ocurre con su padre, en donde se omite su segundo nombre.
[201] Ibid.
[202] Ibid.

Dionisia Rivera, blancos, casados y naturales de Utuado.[203] Él se encontraba avecinado en el barrio Monserrate del pueblo de Arecibo y ella en el barrio Santurce núm. 19 de San Juan.[204]

Afín con el censo de 1930, su grupo familiar que contaba con una residencia en la calle Del Río en Arecibo estaba constituido por su padre y jefe familiar, José Álvarez de 40 años.[205] Este trabajaba como marino, pero, se especifica, en tierra. en el muelle. Mientras, su mamá Providencia, de color blanco, contaba con 35 años, ambos no sabían leer ni escribir.[206] De acuerdo con este censo, Álvarez de Jesús, quién llevaba el primer nombre de su papá, tenía 13 años, era estudiante y hablaba inglés.[207] Tenía dos hermanas mayores que él, Juana de 20 años y María de 14, ambas solteras.[208]

Acorde con el censo de 1940, Álvarez de Jesús de 22 años, residía con su mamá, Providencia de 50, jefa familiar, y el nieto de ésta, Juan Ramos De Jesús, de 7 años, en el poblado Cataño del barrio Viví Abajo de Utuado.[209] Contrario al censo anterior,

---

[203] Ibid.
[204] Ibid.
[205] "United States Census, 1930," database with images, FamilySearch (https://www.familysearch.org/ark:/61903/1:1:V6C7-R8G : accessed 27 June 2023), José Alvarez De Jesús in household of José Alvarez, Arecibo, Arecibo, Puerto Rico; citing enumeration district (ED) ED 4, sheet 6A, line 29, family 90, NARA microfilm publication T626 (Washington D.C.: National Archives and Records Administration, 2002), roll 2641; FHL microfilm 2,342,375.
[206] Ibid.
[207] Ibid. A base del censo de 1930 para el 1950, José Antonio Álvarez de Jesús, debió tener 33 años para el 1950 y no 28, según aparece informando su padre al Dr. Maestre quien preparó el certificado de defunción.
[208] Op. Cit., "United States Census, 1930,".
[209] "United States Census, 1940," database with images, FamilySearch (https://www.familysearch.org/ark:/61903/1:1:KFJ9-PRL: 20 May 2021),

en raza, todos son de color. Providencia es de ocupación costurera en el hogar y Álvarez de Jesús estaba casado y era vendedor de helado en la calle.[210]

Una década después, según consta en el censo poblacional de 1950, Álvarez de Jesús era jefe de familia, de color blanco y residente del sector Palmarito cerca del casco urbano de Utuado, de ocupación listero en una fábrica de tabaco.[211] Su esposa era Rafaela González de color blanco, 30 años y natural de Utuado.[212] Este matrimonio contaba con cuatro hijos/as: Adalis Álvarez González de 10 años, Evelyn de 6, José de 3 y Luis Antonio de 1.[213] Para el 1950, contiguo al antiguo cuartel de la policía, había una fábrica de tabaco.[214] Eventualmente en el edificio que ocupaba esa fábrica estuvo la famosa Tienda B & B. Esta estuvo operando en Utuado más allá de la década de 1980.

La familia de Álvarez de Jesús fue censada por la enumeradora Carmen Gabriel, el 8 de abril de 1950, alrededor de seis meses antes de la Revolución Nacionalista.[215] Podría haber alguna

---

José Alvarez De Jesus in household of Providencia De Jesus De Alvarez, Barrio Viví Abajo, Utuado, Puerto Rico; citing enumeration district (ED) , sheet , line , family , Sixteenth Census of the United States, 1940, NARA digital publication T627. Records of the Bureau of the Census, 1790 - 2007, RG 29. Washington, D.C.: National Archives and Records Administration, 2012, roll

[210] Ibid.

[211] "United States 1950 Census", database, FamilySearch (ark:/61903/1:1:6F6H-PC9Q : Tue Mar 28 21:36:08 UTC 2023), Entry for José Álvarez De Jesús and Rafaela González De Álvarez, 10 April 1950. Fue censado por la enumeradora Carmen Gabriel, el 8 de abril de 1950..

[212] Ibid.

[213] Ibid.

[214] Conversación con Luis Alberto Torres Rodríguez en la Égida Miraflores, lunes, 18 de septiembre de 2023.

[215] United States 1950 Census", database, FamilySearch

diferencia en su oficio a base de la información proporcionada por el censo de 1950 y la del acta de defunción y que en esos seis meses aproximadamente, pasara de uno a otro oficio en la fábrica de tabaco. De listero (persona que pasa lista de los trabajadores presentes en este caso a la fábrica de tabaco) a oficinista. Aunque con mucha probabilidad la función de listero era inherente a su trabajo de oficinista. Lo anterior, sugiere que Álvarez de Jesús era empleado de la mencionada fábrica de tabaco y que él se encontraba en sus alrededores al momento que recibió el mencionado disparo que eventualmente provocó su muerte.

NOTAS

No. 281

DEPARTAMENTO DE SALUD

CERTIFICADO DE DEFUNCION

DISTRITO No. 71

No. DE ARCHIVO

1. Lugar de Defunción Utuado

2. Residencia Usual Utuado, P.R.

3. (a) Nombre y Apellidos del Fallecido José Álvarez de Jesús

CERTIFICACIÓN MÉDICA

20. Fecha de Defunción: Mes Mayo, Día 9, Año 1950

[illegible]

José Álvarez de Jesús

En el Puerto Rico de 1950: ¿Revuelta, Insurrección o Revolución Nacionalista?

Se le ha dado diferentes nombres a lo que pasó en ocho pueblos de Puerto Rico a partir de fines de octubre y principios de noviembre de 1950 cuando el Partido Nacionalista Puertorriqueño (PNPR) se levantó en armas proclamando la República de Puerto Rico para denunciar a los planes los EE.UU. de imponer un nuevo modelo colonial llamado "Estado Libre Asociado" (ELA) que pretendía disfrazar la situación colonial de Puerto Rico ante las Organización de Naciones Unidas (ONU) y el mundo. Atacando objetivos estratégicos en Puerto Rico como cuarteles de la policía, La Fortaleza (la residencia del gobernador de Puerto Rico) y la Casa Blair donde se hospedaba temporalmente el presidente de Estados Unidos, Harry S. Truman.

Entre los nombres utilizados para denominar el evento histórico se encuentran: motín, levantamiento, alzamiento, grito, masacre, disturbio, conspiración, rebelión, insurrección y revolución. Algunos de ellos usados de manera despectiva con la intención de minimizar su importancia y de demonizar a los combatientes nacionalistas y a su liderato al tildarlos de terroristas, de fanáticos que se oponían al desarrollo económico y a la modernización del país. Al parecer, los conceptos revuelta, insurrección y revolución nacionalista han sido los más utilizados por los puertorriqueños. Es posible que 'insurrección' sea el más generalizado entre los académicos e historiadores; no obstante, hay quienes piensan que lo ocurrido fue una revolución.

El historiador José Manuel Dávila Marichal, en su artículo "Reflexión en torno al documental "1950: La insurrección nacionalista" (publicado en *80 grados* el 28 de febrero de 2020), explica por qué eligió el término 'insurrección' como el concepto que mejor se ajusta a lo acontecido. Argumenta que la insurrección fue un acto de resistencia política y de afirmación nacional que buscaba llamar la atención de las Naciones Unidas y del mundo sobre el problema colonial de Puerto Rico, y que pretendía tomar como rehén al gobernador, Luis Muñoz Marín, al proclamar la República de Puerto Rico. Concluye que 'insurrección' es el término que mejor concuerda con los acontecimientos ocurridos entre el 30 de octubre y el 10 de noviembre de 1950 en Puerto Rico.

No obstante, esa perspectiva tiene muchas debilidades a la luz de nuevas definiciones y reflexiones que se han hecho sobre esos conceptos. Entre ellas, las de Jérôme Baschet, historiador francés que se especializa en el estudio de la Edad Media y el mundo contemporáneo, en su publicación "Resistencia, Rebelión, Insurrección" (Instituto de Investigaciones Sociales de la Universidad Nacional Autónoma de México, 2019) en la cual explora las diferencias entre esos conceptos. Este establece que, en algunas ocasiones, se usa 'insurrección' como sinónimo de levantamiento, rebelión o revolución, pero que no significan lo mismo. Una insurrección y una revolución son dos formas de resistencia contra el orden establecido, pero tienen diferencias importantes. Una insurrección es un movimiento de protesta que surge de forma espontánea sin un programa definido, ni una organización previa.[216] Asimismo, se identifica como un movimiento generalizado contra el poder dominante que suele ser violento y de corta duración, y que puede tener como objetivo denunciar una situación de opresión, proclamar la soberanía de un pueblo o desafiar un gobierno ilegítimo.[217] Sin embargo, adolece de un plan de acción concreto; no aspira a sostenerse en el tiempo; no tiene los alcances de una revolución.[218]

Por el otro lado, revolución implica un cambio profundo, amplio y organizado. Busca tomar el poder para *cambiar* el orden establecido, es decir, para transformar el sistema político existente. Otra que ha definido el concepto 'revolución' es Luz María Barea. Ella dice que una revolución es un levantamiento armado con un objetivo político claro: derrocar al gobierno y cambiar la estructura económica y social del país. La misma implica una mayor preparación, coordinación y duración que una insurrección.[219] Una revolución también tiene una ideología o una visión de la sociedad que quiere construir. Ofrece como ejemplos la Revolución Francesa, un proceso histórico de varios años fundamentado en los principios de libertad, igualdad y fraternidad que transformó radicalmente el sistema político, social y cultural de Francia. Como ejemplo de insurrección ofrece

---

[216] Ver "Definición de insurrección" en https://definicion.de/?s=insurrecci%C3%B3n

[217] Conceptos y fenómenos fundamentales de nuestro tiempo en https:/ conceptos.sociales.unam.mx/conceptos final/487trabajo.pdf

[218] Ibid.

[219] Luz María Barea, "Definición de insurrección – Qué es, Significado y Concepto", 21 mayo, 2022 en https://lacienciadejaun.com/definicion-de-insurreccion-que-es-significado-y-concepto/ La noción de Barea se complementa con las observaciones de Jérôme Baschet en "Resistencia, Rebelión, Insurrección", Instituto de Investigaciones Sociales de la Universidad Nacional Autónoma de México, 2019.

el caso del 15-M en España, un movimiento social que surgió en 2011 como respuesta a la crisis económica y política del país y que ocupó las plazas públicas para expresar su indignación y sus demandas, pero sin tener una propuesta concreta de cambio, ni una organización estable.[220] Por lo tanto, se puede decir que una insurrección es un alzamiento o un estallido espontáneo motivado por una causa específica, pero sin un plan de acción definido e ideología política.

Una revolución, por su parte, supone un proceso organizado y de mayor alcance que aspira a cambiar el orden establecido y a crear una nueva sociedad. Baschet resalta que una revolución implica una mayor preparación, coordinación y duración que una insurrección.[221] Además promueve una "ideología o una visión de la sociedad que se quiere construir". Levantamiento, revuelta, rebelión, insurrección, revolución, entre otros son expresiones de resistencia social con diferentes alcances. Es posible encontrar afinidad entre lo que es una insurrección y una revolución aunque se reconozca que tienen diferentes alcances.

Las perspectivas para conceptualizar la Revolución Nacionalista de 1950 no han sido sustancial o significativamente diferentes a las usadas para el Grito de Lares de 1868. Decir que el Grito de Lares fue una algarada, según lo enuncia José Pérez Moris,[222] es muy distinto a decir que fue una revolución como lo afirma Francisco Moscoso. El origen de las perspectivas va a estar influenciado por el contexto histórico que las hace diferentes.

---

[220] Ibid.

[221] "Conceptos y fenómenos fundamentales de nuestro tiempo…"

[222] *Historia de la insurrección del Grito de Lares*, publicado en el 1872.

Tal vez una de las limitaciones de la perspectiva de Moscoso en su texto *La revolución puertorriqueña de 1868: el Grito de Lares* de 2003 sea no explicar los alcances del concepto 'revolución'. A Pérez Moris lo motivaba restarle importancia y minimizar sus alcances. Intentando hacer creer que los puertorriqueños de ese entonces eran unos mal agradecidos que despreciaban las bondades del colonialismo español.

Mientras Moscoso en su discurso reafirma la incipiente identidad del pueblo puertorriqueño y exalta su resistencia al dominio colonial español. Tal vez la debilidad de ambas revoluciones radica en la dificultad de optimizar la organización de la resistencia anticolonial. Era difícil que en ambos momentos históricos se alcanzara el objetivo final sin contar con una buena organización y los necesarios recursos humanos y militares. ¿Cuántas juntas revolucionarias organizadas había, tanto en la revolución del Grito de Lares en 1868 como en la nacionalista de 1950? Es un misterio por la falta de investigaciones balanceadas y fuera de las pasiones políticas. Se podría argumentar sobre si el Grito de Lares o la Revolución Nacionalista reunían o no todas las características de lo que es una revolución. Las diferencias no son absolutas, ya que una insurrección podría ser el primer paso hacia una revolución. Además, los conceptos pueden variar según el contexto histórico y geográfico en que se usan.

La documentación consultada sugiere que el hecho del PNPR verse obligado a adelantar sus planes (como ocurriera en el Grito de Lares) por dos años aproximadamente afectó la organización y preparación necesarias para contar con mejores recursos y una mejor coordinación en su estrategia revolucionaria. A parte de las críticas a su organización, la revolución nacionalista fue la continuación del Grito de Lares: de la resistencia en contra del colonialismo, de la expresión del deseo de libertad del pueblo puertorriqueño que sigue luchando por su derecho a la autodeterminación, a la soberanía. Aunque la Revolución Nacionalista de 1950, al igual que el Grito de Lares, no alcanzó su objetivo principal logró denunciar ante el mundo la condición colonial de Puerto Rico.

Como dice César Andrew Iglesias en *Independencia y socialismo*, 1951[223]:

> 1. Asestó un rudo golpe al imperialismo en el campo de la política internacional.
> 2. Ayudó a desenmascarar a Muñoz Marín y a su gobierno colonial como enemigos de la independencia y agentes incondicionales del imperialismo.
> 3. Demostró que el pueblo, a pesar de permanecer al margen del conflicto, no siente hostilidad hacia los nacionalistas manifestando así las ansias latentes de liberación de las grandes masas populares.
> 4. Forzó a los sectores independentistas vacilantes a adoptar una posición más militante frente al imperialismo.

---

[223] Así son enumeradas en "Octubre 1950: cuando el orgullo boricua le faltó el respeto al imperialismo", Información básica sobre la Insurrección Nacionalista de 1950, Edición octubre 2023. Distribuida en actividad del Movimiento Independentista Nacional Hostosiano (MINH) de Puerto Rico en la Casa de Unión Soberanista, Placita Roosevelt, San Juan, viernes, 13 de octubre de 2023.

Más allá de la visibilidad internacional, la Revolución Nacionalista fue la respuesta a la represión contra los nacionalistas y a los planes de disfrazar el colonialismo en la isla. Además de resistir la Ley de la Mordaza que declaraba delito grave abogar por el derrocamiento del gobierno colonial por medio de la fuerza o la violencia, ayudó a elevar la conciencia política de muchos puertorriqueños y a fortalecer el movimiento independentista. A pesar de estar en desventaja en términos de armamento y entrenamiento, los miembros del PNPR demostraron gran valor y sacrificio al estar dispuestos a ofrecer sus vidas por la independencia de Puerto Rico.

A la luz de lo antes planteado, y a pesar de no haberse logrado sus objetivos principales, se podría concluir que el levantamiento del PNPR en el 1950 en Puerto Rico fue la continuidad de un proceso revolucionario antimperialista que empezó a cristalizarse con el Grito de Lares en 1868. Por lo tanto, el concepto 'revolución' es el que más se ajusta a la resistencia política que desarrollara el PNPR y que alcanza su máxima expresión a partir de fines de octubre de 1950. La diferencia fundamental estriba en que una insurrección es la expresión de una resistencia fundamentalmente espontánea, mientras una revolución requiere de una organización planificada según objetivos específicos que responde a una ideología política específica. Estos dos últimos fenómenos son evidentes aun cuando se dieron en contextos históricos diferentes como lo fueron el Grito de Lares de 1868 y la Revolución Nacionalista de 1950 en Puerto Rico. Aunque pudieran haber reparos en términos de su efectividad en ambos casos.

No se cuenta con estudios profundos sobre la capacidad militar de la Revolución Nacionalista o el Grito de Lares que ayuden a pasar balance sobre las deficiencias de su organización. En el caso de la Revolución Nacionalista, a la luz de lo que se conoce sobre los sucesos en Utuado y aun cuando se piense como natural que la capacidad de las Juntas Nacionalistas Municipales no fuera homogénea, sigue siendo un misterio su organización. ¿Cuántas había organizadas en 1950? ¿En qué regiones y municipios del país estaban las fortalezas y debilidades organizativas del PNPR?

En cuanto a la ideología política del PNPR se ha demostrado su naturaleza revolucionaria y antiimperialista. No así en cuanto a su composición clasista sobre la cual hay puntos de vistas encontrados. En Utuado, la procedencia y el trasfondo social de los combatientes nacionalistas según se desprende de sus datos biográficos sugiere que el apoyo a la Revolución Nacionalista provenía de los sectores marginados y pobres cuya educación no pasaba de escuela superior. No obstante, de acuerdo con Torres Rodríguez, que conoció a la inmensa mayoría de los heridos y asesinados, a pesar de no haber tenido la oportunidad de continuar estudios por diferentes razones, varios de ellos demostraban con sus acciones que desarrollaron sus propias cosmovisiones y un alto grado de cultura.[224]

---

[224] Conversación con Torres Rodríguez, abril 21 de 2024 en Égida Miraflores. Compartió con los hermanos Julio y Ángel Colón Feliciano en el barrio Salto Arriba y sobre todo con Gilberto Martínez Negrón. El que escribe tuvo la oportunidad de compartir con éste último en varias ocasiones. Estuvo presente en el sepelio de mi hermano Ismael y se dirigió a los presentes. No obstante haber asistido hasta cuarto grado de escuela elemental, quedé impactado con su excelente oratoria, citando a los grandes pensadores de la filosofía clásica

Otros sectores de apoyo estaban en pequeños agricultores y comerciantes desplazados. Tal vez en el caso de Jayuya, la participación de pequeños burgueses e intelectuales esté más documentada. A pesar de sus diferencias, a esos grupos sociales oprimidos los unía la resistencia a una estructura política colonial capitalista de ideología pequeño burguesa que los oprimía. Aunque se reprodujera entre ellos una estructura clasista y subyacieran las contradicciones de clase, y a pesar de la mucha o poca unión entre estos grupos sociales en el Grito de Lares de 1868 y la Revolución Nacionalista de 1950, se pretendía acelerar el cambio político. Hoy esos cambios permanecen inconclusos y a la vez imperativos. Ambos eventos históricos se muestran incapaces de impulsar una agenta dirigida a una unidad anticolonialista y, más adelante, a la posibilidad de una unión anticapitalista de consenso que busque una sociedad diferente a la capitalista que es incapaz de resolver los problemas básicos de la gente. Aun con todos los avances científicos y tecnológicos logrados, persisten las grandes desigualdades sociales resultado de la globalización neoliberal que ha provocado la degradación

---

greco-romana. Además era un gran conversador. Hubo ocasiones que lo fui a buscar para ir juntos a la conmemoración del Grito de Lares. Era un honor para mí conversar con él durante el viaje de ida y vuelta de Utuado a Lares sobre diferentes temas. Había acordado con él y el licenciado Torres Rodríguez hacerle una entrevista. A esos efectos había comprado una grabadora. Acaba de regresar de España a principios de junio de 2008 donde me encontraba en un seminario con varios colegas de la Facultad de Estudios Generales en la Escuela de Estudios Latinoamericanos cuando mi amigo, Pedro (Pedrín) Negrón Cruz, me llamó informándome de la triste muerte de Gilberto, su hermano masón. Sobre los acuerdos de la entrevista, Torres Rodríguez y yo habíamos quedado en preparar una lista de preguntas y Gilberto se comprometió a contestar sin reservas todo lo preguntado. Lamenté muchísimo su inesperada muerte y también el que no lo pidiera entrevistar sobre su militancia en el Partido Nacionalista Puertorriqueño.

ambiental, la precarización del trabajo y la persistencia de grandes problemas sociales.

Para alcanzar un futuro diferente, Puerto Rico necesita poderes soberanos para impulsar cambios sociales en armonía con sus necesidades dirigidos a hacer de la economía de la Isla una sustentable que supere la dependencia y se encamine a la modernidad en solidaridad y con el apoyo de otras naciones. Hace falta promover los debates y las luchas que nos permitan alcanzar ese objetivo. De ahí que sea imperativo insistir en fomentar la investigación y el debate honesto y franco. Aun con todas las transformaciones históricas logradas, montar y propagar la ola de cambios significativos sigue acarreando mucha intolerancia y persecución de todo tipo, invocada, en ocasiones, a nombre de Dios, de la democracia y de la modernidad.

Algunas conclusiones y comentarios finales

Del análisis en su conjunto de la documentación examinada, se desprende varias conclusiones. Del examen crítico de los testimonios de varios de los nacionalistas sobrevivientes y, sobre todo, de los certificados de defunción de los asesinados en el entorno donde se unen las calles Betances y Washington de Utuado, en horas de la madrugada del 31 de octubre de 1950, apunta a establecer nexos con una conspiración para ejecutar a los indefensos combatientes nacionalistas que se habían rendido, habían sido arrestados, registrados y desarmados con un trato poco humano; luego de obligarlos a bajar del segundo piso del edificio donde estaba ubicada la residencia del presidente de la

Junta Municipal Nacionalista Damián Torres Acevedo. Acto que podría contener algunos visos de reajuste de cuentas por parte de la policía por las muertes previas de algunos de sus miembros, particularmente el coronel Riggs.

Además de provocar la muerte fulminante de un miembro de la guardia nacional y herir de muerte a un policía que murió diez minutos después en Hospital Municipal Catalina Figueras de Utuado, la negligencia de los operativos género otras desgracias. Asimismo, los datos consultados sugieren un manejo irregular de la mayoría de las certificaciones de defunciones de los caídos con la intención de alterar la escena donde fueron ametrallados los nacionalistas, un miembro de la guardia nacional y otro policía para hacer creer que hubo un tiroteo para culpar a los indefensos nacionalistas de la masacre en la calle Washington donde sucumbieron la mayoría de los caídos.

La ausencia de los expedientes médicos de los atendidos en las clínicas San Miguel y Carrasquillo y Hospital Municipal Catalina Figueras limita tener una idea de la atención médica prestada a los combatientes nacionalistas Agustín Quiñones Mercado y Carlos Rivera Irizarry. No debe descartarse la posibilidad de encontrar algunas huellas y pistas sobre éstos y otros aspectos relacionados con el nacionalismo puertorriqueño en los archivos del Departamento de Salud y Justicia que debieron llegar al Archivo General de Puerto Rico o a otros repositorios, entre ellos, la Biblioteca y Hemeroteca Puertorriqueña (antes Colección Puertorriqueña) ubicada en el segundo piso del Edificio José M. Lázaro y el Centro de Investigaciones Históricas (en el edificio Sebastián González García, primer piso de la Facultad de Humanidades, Recinto de Río Piedras), la Biblioteca del Congreso y la Biblioteca Truman. No se ha hecho aun la investigación profunda que disipe las dudas y aclare de si hubo o no alguna irregularidad en la atención médica que se les brindó a esos dos jóvenes combatientes nacionalistas.

Hay grandes dudas y muchas preguntas sobre el rol que desempeñaron los departamentos de Salud y Justicia en la Revolución Nacionalista de 1950 en Utuado. Hoy, con los avances en las ciencias forenses y el uso del ADN mitocondrial, se podría obtener algunas respuestas para esclarecer y desenmarañar dudas y preguntas sobre las causas de las muertes de los combatientes nacionalistas; reconstruir la escena de los caídos; determinar las armas y balas usadas como la de las personas participantes; esclarecer bajo qué instrucciones de quiénes impartieron órdenes de arriba abajo, a todos los niveles de la esfera gubernamental. Luego de asignarse los mejoreres recursos especializados a una comisión independiente y sin amarres con nadie, investigar y (de corroborarse la conspiración, independientemente del tiempo transcurrido), aplicar consecuencias claras y transparentes fijando responsabilidades en particular sobre quién o quiénes dieron las órdenes de disparar. Los delitos graves como el asesinato, de acuerdo con el Código Penal de Puerto Rico, no prescriben. Esto significa que no importa cuánto tiempo pase desde la comisión del delito se puede iniciar un proceso penal contra el presunto autor o autores.[225]

[225] Ver al respecto https://law.justia.com/citations.html o "2018 Laws of Puerto Rico Título 33 - Código Penal Subtítulo 6 - Código Penal de 2012—Parte

Esto conlleva investigar con justicia esos hechos y enjuiciar a los responsables. Solo así se podrá hacer justicia y evitar que se repitan crímenes como los perpetrados en las calles Betances y Washington en Utuado. Mientras eso no ocurra, esas muertes seguirán sin consecuencias e impunes. Aunque no se puedan procesar legalmente a los responsables de esas muertes porque han fallecido, la verdad sobre sus acciones quedaría en la memoria histórica de las familias de las víctimas y del pueblo en general.

Con los avances en el ADN mitocondrial, las ciencias forenses con el apoyo de otras disciplinas podrían hacer un acercamiento a la verdad. Con un enfoque transdisciplinario – de diálogo entre las disciplinas en busca de respuestas, de la verdad – se podría determinar las causas de las muertes de los caídos en la periferia donde se unen las calles Betances y Washington en Utuado, así como la de Pedro Albizu Campos. En ese esfuerzo, de manera integral – caracterizada por la discusión y diálogos abiertos, con respeto y tolerancia a las diferencias – se podría buscar respuestas a las hipótesis y preguntas que aún quedan por contestar. El uso del análisis ADN mitocondrial junto a otras técnicas de investigación forense tendría mucho que aportar a construir una imagen integral y transparente sobre las causas y los escenarios particulares de todas esas muertes.[226]

General Parte III - Consecuencias del Delito Capítulo 329 - Extinción de las Acciones y de las Penas Subcapítulo I - Extinción de la Acción Penal § 5133. Delitos que no prescriben https://law.justia.com/codes/puerto-rico/2018/titulo-33/subtitulo-6/parte-iii/capitulo-329/subcapitulo-i/5133/

[226] Un buen artículo de muchos, que abordan estos temas, es el de la Dra. E. Alcalá-Espinoza "Análisis de DNA en restos óseos antiguos", Rev. Mex Med

La mayoría de los jóvenes caídos en la Revolución Nacionalista en Utuado residían en los barrios marginales a la zona urbana, entre estos, Viví Abajo, Arenas Abajo, Salto Arriba. Por ejemplo, Heriberto Castro, Jorge Antonio González González y Antonio Colón Feliciano eran residentes de Viví Abajo. Los dos últimos, al momento de sus muertes, residían en el poblado llamado Cataño perteneciente a ese barrio. Todos los caído eran, en su mayoría, trabajadores asalariados con frágiles oportunidades educativas. En la tabla número 2 se puede observar que el nacionalista Carlos Irizarry era el único de los caídos en Utuado que era estudiante universitario; los demás eran obreros agrícolas y de la construcción. De los otros caídos, el policía y el miembro de la guardia nacional serían los únicos, al parecer, contratados por el estado. Profundizar sobre estos ángulos podría contribuir a tener una idea más concreta de los diferentes sectores sociales que conformaban y apoyaban el PNPR.

Para comprender el trasfondo socio-económico y el contexto de la Revolución Nacionalista de 1950 en Puerto Rico, es necesario mirar al pasado y examinar cómo había quedado la economía puertorriqueña, y en particular la de los pueblos de la montaña, luego del huracán San Ciriaco al año siguiente a la invasión estadounidense en 1898 y de otros los ocurridos más tarde, entre ellos, San Felipe II en 1928 y San Ciprián en 1932.

Forense, 2016, 1(1): 12-17" en https://www.medigraphic.com/pdfs/forense/mmf-2016/mmf161c.pdf

Pero más allá de los fenómenos naturales, es importante sopesar la eficiencia del gobierno colonial de Puerto Rico para buscar respuestas a los problemas sociales y económicos en ruta a la modernización del país. No hay dudas sobre el devastador efecto en la economía del café, en el descenso de su precio luego del huracán San Ciriaco. Fenómeno que para muchos pobres implicó salir de Utuado en búsqueda de empleos en la costa, principalmente vinculados a la industria azucarera. Otros emigraron a Hawái retratados, entre otros textos, en la novela *La Gleba* de Ramón Juliá Marín; otros viajaron a lugares de América, en particular Latinoamérica y el Caribe. Migraciones que tuvieron un efecto multiplicador de precariedad en la vida de los utuadeños.

Situación que venía agravándose y visibilizándose cada vez más desde el período de la ocupación militar estadounidense cuando comenzó a circular la moneda norteamericana en Puerto Rico y la tasa de cambio, fijada por decreto presidencial de los Estados Unidos, equivalía a un peso español por 60 centavos americanos.[227] Esto tendía a reducir el poder adquisitivo de los propietarios y comerciantes, particularmente los criollos, así como de los salarios de los profesionales y de la clase obrera en general. Los comerciantes y detallistas comenzaron la práctica de vender sus mercancías como si el dólar y el peso tuvieran el mismo valor. Esta situación empeoró aún más cuando se sustituyó la moneda provincial decretada por la Ley Foraker en 1900.

---

[227] Andrés Ramos Mattei. *La sociedad del azúcar en Puerto Rico: 1870-1910*, Ed. UPR, Recinto de Río Piedras, p. 122.

Esas decisiones le abrieron las puertas al capital ausentista para desplazar gradualmente al capital puertorriqueño hasta hacerlo su apéndice; realidad que al 2024 no ha cambiado. A pocos años de la invasión y del huracán San Ciriaco, en el caso de Utuado, se produjo el cierre de la Utuado Sugar Company a fines de la década 1910 y, para colmo poco después, el país tuvo que enfrentar los efectos del huracán San Felipe y la Gran Depresión de los años treinta. Aunque el café se recuperó en algún grado y se mantuvo cómo renglón importante de la economía del país, conforme con Picó, no generó los ingresos pasados.

Esas adversas circunstancias tuvieron que enfrentar el país con pocas soluciones. Incidieron en que los pequeños y medianos agricultores y los comerciantes criollos fueran gradualmente desplazados por el capital extranjero. La pobreza que arropaba al país – resultado ya fuera de la indiferencia, o de la poca voluntad del gobierno para manejarla, o de la devastación de los fenómenos naturales, o como consecuencia de la Gran Depresión – fraguó el contexto histórico que indujo a que los pequeños y medianos agricultores, los comerciantes y, principalmente, muchos jóvenes en Puerto Rico acogieran el discurso nacionalista. Discurso del carácter revolucionario antimperialista que caracterizó al PNPR bajo el liderato de Albizu Campos que decidiera darle continuidad a la resistencia anticolonial. Siguiendo, en esencia, el método tradicional de la guerra directa y de carácter frontal con una ideología revolucionara concebida desde el sacrificio (hacienda y vida), visto éste como un medio más de resistencia y de lucha en busca de una sociedad más avanzada y soberana.

Estrategia que tenía pocas probabilidades de éxito frente al poder militar de la metrópoli estadounidense. Era cuesta arriba prevalecer en un enfrentamiento desigual con una estrategia y táctica militar anacrónicas, inspiradas en las viejas ideas revolucionarias de carácter frontal dominantes en tiempos remotos que siguieron practicándose en América por líderes revolucionarios como George Washington, Simón Bolívar, José Martí, Ramón Emeterio Betances y otros que buscaron la emancipación de sus pueblos del colonialismo europeo.

El pueblo de Mayagüez, conforme a la historiadora Miñi Seijo, parece ser la excepción al recurrir a la mencionada guerra de guerrillas durante la Revolución Nacionalista en Puerto Rico del 1950.[228] Desde la década de 1930, en Puerto Rico se hace referencia a paralelismos entre los Voluntarios Irlandeses y los Cadetes de la República como resultado de la "influencia sobre Albizu Campos de los primeros".[229] Un ejemplo de varios que menciona Dávila Marichal, se encuentra en la planificación que hicieron los jóvenes nacionalistas Beauchamp y Rosado con el apoyo de Juan Antonio Corretjer para ejecutar al coronel Riggs.[230] De acuerdo con Corretjer, a base de lo aprendido en Cuba "se pica y se desaparece", así lo hicieron Beauchamp y

---

[228] Ver "La guerrilla" en Seijo Bruno, *La insurrección nacionalista en Puerto Rico-1950*, 193-14.
[229] Dávila Marichal, *Pedro Albizu Campos y el ejercito libertador del Partido Nacionalista de Puerto Rico*, 198.
[230] Ibid., 210-211.

Rosado; pero, poco después, fueron capturados.[231] Este es otro ejemplo que muestra los paralelismos que se podrían encontrar, aun cuando las coyunturas históricas fueran diferentes, entre los Voluntarios Argelinos y los Cadetes de la República.

Aunque la guerra de guerrillas existe desde la antigüedad, no es hasta el siglo XX que alcanzó mayor visibilidad, sobre todo, luego de la segunda mitad de la década de 1950 en diferentes escenarios del mundo. El surgimiento de ésta se explica como resultado de las grandes desigualdades sociales y económicas en los lugares del mundo que le han dado vida. Uno de los lugares más antiguo en donde cobró vida fue China. El antiguo general y estratega chino Sun Tzu, en su obra "El Arte de la Guerra" (siglo VI a.C.), fue uno de los primeros en proponer el uso de la guerra de guerrillas. Las tácticas guerrilleras se desarrollaron a lo largo de la historia china y sirvieron como modelo para líderes como Mao Zedong en China y Ho Chi Minh en Vietnam. Estas a su vez inspiraron las guerrillas modernas. Ejemplos serian la teoría del "foco" en Cuba y los muyahidines antisoviéticos en Afganistán.[232] El foco guerrillero cubano fue promovido fundamental por Ernesto Che Guevara originalmente desde Sierra Maestra. De esa experiencia, el Che escribió su famoso texto "La guerra de guerrillas" de 1960 en el cual mezcla la teoría con su experiencia práctica de la resistencia cubana para lograr su independencia de los Estados Unidos.[233]

---

[231] Ibid., 211.

[232] Ver McNeilly, Mark. Sun Tzu and the Art of Modern Warfare, 2003.

[233] "Cómo fueron las intervenciones armadas impulsadas por Cuba en América Latina" en https://www.bbc.com/mundo/noticias-america-latina-47674885

Varias fueron las naciones que alcanzaron su independencia haciendo uso de la táctica de la guerra de guerrillas. Entre éstas, Irlanda que enfrentó a los nacionalistas irlandeses contra el Reino Unido entre 1919 y 1921.[234] También, Vietnam que por 19 años, desde 1955 hasta 1975, enfrentó al gobierno de Vietnam del Norte y sus aliados en Vietnam del Sur (conocidos como el Viet Cong), respaldados por China y la Unión Soviética, contra el gobierno de Vietnam del Sur, principal aliado a Estados Unidos y otras naciones aliadas.[235] El Viet Cong era un grupo guerrillero que operaba en Vietnam del Sur y estaba afiliado al Partido Comunista de Vietnam del Norte. Otra nación donde se desarrolló la guerra de guerrillas fue Argelia que se independizo de Francia en 1962 después de una larga guerra de guerrillas de alrededor de 8 años.[236] De 1954 al 1962 duró la guerra de independencia en donde Argelia enfrentó militarmente el nacionalismo anticolonialista argelino contra las autoridades coloniales francesas.[237]

En el contexto de la Guerra Fría, fenómeno que parece no tener fin, y el triunfo de la Revolución Cubana, se reimpulsó la vía armada para la toma del poder en América Latina y, a su vez, la organización de varios movimientos revolucionarios. Inspirados en alguna dimensión por las variantes o interpretaciones del marxismo que se han suscitado a lo largo de su historia. Entre ellas: el leninismo, derivado de las ideas de Bladimir Lenin (que

---

[234] https://www.britannica.com/event/Irish-War-of-Independence
[235] Ibid.
[236] https://humanidades.com/guerra-de-argelia-1954-1962/#ixzz8MPCFUiibdesde 1954 hasta el 1962.
[237] https://humanidades.com/guerra-de-argelia-1954-1962/

enfatiza la necesidad de un partido revolucionario de vanguardia y la toma del poder por parte del proletariado), la Revolución rusa de 1917, fue un hito importante para esta corriente. El marxismo-leninismo (combinación de Marx y Lenin), así como el trotskismo (basado en las ideas de León Trotsky), aboga por la revolución permanente y la expansión internacional de la revolución socialista. Trotsky fue un líder clave en la Revolución rusa aunque luego se convirtió en un crítico del estalinismo. El maoísmo, inspirado por Mao Zedong, que se desarrolló en China hizo hincapié en la movilización de las masas campesinas y la lucha armada de la resistencia popular. La Revolución China y la creación de la República Popular China están vinculadas al maoísmo.[238]

La Revolución Cubana de 1959 inspiró a otros movimientos revolucionarios en la región. Ejemplos de ellos son en Argentina: Montoneros, Ejército Revolucionario del Pueblo, Fuerzas Armadas Revolucionarias, entre otros. En Colombia: Ejército de Liberación Nacional (ELN), Fuerzas Armadas Revolucionarias de Colombia (FARC-EP), Movimiento 19 de abril (M-19), entre otros. En Chile: Frente Nacionalista Patria y Libertad, Frente Patriótico Manuel Rodríguez, Movimiento de Izquierda Revolucionaria, entre otros. En Nicaragua, el Frente Sandinista de Liberación Nacional (FSLN).[239]

---

[238] Para conocer lo básico de estas variantes del marxismo, leer "El marxismo y sus variantes" en https://www.monografias.com/docs/El-marxismo-y-sus-variantes-FKCXQS6YMZ

[239] Ibid.

Cuba se convirtió en un refugio y un punto de apoyo para guerrilleros y revolucionarios latinoamericanos. En ese entonces, se concebía la guerra de guerrillas como una estrategia que capacitaba a uno o más combatientes a atacar y debilitar a un enemigo más grande y poderoso. Para eso era importante que los guerrilleros aprovecharan el conocimiento del terreno; ganar el apoyo de la población; maximizar la movilidad para realizar acciones rápidas y sorpresivas como emboscadas, sabotajes, secuestros o asesinatos.[240] La guerra de guerrillas busca desgastar al enemigo y afectar su moral sin enfrentarlo directamente en una batalla convencional.[241]

Según se ha visto, con la Revolución Cubana y la propagación de las ideas marxistas, la guerra de guerrillas alcanzó una mayor dimensión. En términos generales, influenciados por las experiencias mencionas y las diferentes variantes del marxismo, se fundó en Puerto Rico el Movimiento Pro Independencia (MPI) en el 1959 en el pueblo de Mayagüez integrado por un grupo de disidentes del PIP, ex militantes del Partido Nacionalista de Puerto Rico, del Partido Comunista de Puerto Rico y estudiantes universitarios, algunos de ellos miembros de la Federación de Universitarios Pro Independencia (FUPI). Más tarde, en el 1971, el MPI se transformó en el Partido Socialista Puertorriqueño (PSP). Esto ofrece una idea de por qué el MPI y luego PSP, favorecieran la lucha armada como uno de los métodos de resistencia política para alcanzar la independencia de Puerto

---

[240] Ver "¿Qué es la guerra de guerrillas?" en https://elordenmundial.com/que-es-guerra-guerrillas/
[241] Ibid.

Rico. También explica en alguna medida el que afloraran insatisfacciones con el rumbo de carácter electoral que caracterizaba a la izquierda puertorriqueña de ese momento, especialmente la encabezada por el PIP. Proceso que influenció a que un sector importante de la izquierda más radical del país no se conformara con la participación electoral como único medio de resistencia política y consideran otros métodos revolucionarios de mayor firmeza tales como: combinar la guerra de carácter prolongado, de desgaste, guerrilla urbana, entre otros.

Aunque se pueda encontrar instancias en las que el PNPR utilizó la estrategia de guerrillas, al parecer, a la altura de 1950 en Puerto Rico, se conocía muy poco sobre ésta y las nociones de la guerra de carácter frontal eran las dominantes. De las experiencias anteriores al 1950, se ha documentado que, en alguna media, Albizu Campos estuvo influenciado por la insurrección irlandesa de 1916 desde sus años como estudiante de la Universidad de Harvard en Boston.

Albizu se solidarizó con las luchas de liberación nacional de Irlanda, con su lucha por la independencia del dominio británico e hizo amistad con líderes como Subhas Chandra Bose y Éamon de Valera.[242] Además, su formación nacionalista se intensificó estudiando el caso colonial de la India.[243] Ésta alcanzó su independencia a finales del 1947 en donde jugó papel

---

[242] "La conexión del líder nacionalista puertorriqueño Pedro Albizu Campos con los irlandeses" en https://es.globalvoices.org/2014/04/20/la-conexion-del-lider-nacionalista-puertorriqueno-pedro-albizu-campos-con-los-irlandeses/

[243] Ver Rodado, Marisa, *Pedro Albizu Campos. Las llamas de la aurora, acercamiento a su biografía*, Ediciones Puerto, 2006, 125.

fundamental un movimiento fundamentado en la no violencia y la desobediencia civil lidereado por Mahatma Gandi marcando el fin de casi 200 años de dominio británico.[244] Gandi y demás líderes, aun con sus diferencias estratégicas de resistencia, desempeñaron un papel vital en la creación de un sentimiento de identidad nacional y en la movilización de las masas para denunciar y resistir el dominio colonial británico.

Lo planteado hasta aquí en términos generales puede contribuir a explicar racionalmente por qué las nociones sobre la guerra frontal fueron dominantes en el PNPR y la guerra de guerrillas fuera muy desconocida por los revolucionarios nacionalistas en Puerto Rico. Será con la influencia principalmente de la Revolución Cubana, que los grupos más radicales en Puerto Rico favorecerán la postura de que todos los medios son válidos para combatir el colonialismo y el imperialismo estadounidense.

Hoy, la posibilidad de un mundo más justo, equitativo, inclusivo y democrático se encuentra amenazado por grandes conflictos armados, entre ellos, la invasión rusa a Ucrania que ha generado una crisis global y ha profundizado la inestabilidad.

Otro conflicto es el israelí-palestino, una disputa larga que involucra territorios, identidades y derechos. La búsqueda de una solución justa y duradera sigue enfrentando grandes dificultades. En América Latina la paz y estabilidad necesarias para su desarrollo y bienestar parecen ser un tormentoso sueño. Las

---

[244] Línea del tiempo de la independencia de India en https://lineadetiempo.net/linea-del-tiempo-de-la-independencia-de-india/

relaciones han sido tensas entre Colombia y Venezuela aunque no están en guerra abierta. Problemas fronterizos, el tráfico ilegal y las diferencias políticas han generado fricciones y la presencia de grupos armados en la región fronteriza lo que también es motivo de preocupación. En Chile y Bolivia, la disputa por la salida al mar por parte de Bolivia ha sido un conflicto histórico. Aunque no ha llegado a una guerra abierta, las tensiones persisten. Nicaragua y Costa Rica enfrentan desacuerdos sobre la soberanía de la Isla Calero en el río San Juan. Aunque no es un conflicto armado, la situación sigue siendo delicada. En Guyana y Venezuela, las tenciones aumentan entorno a la disputa sobre la región de Esequibo por su riqueza petrolera, en Honduras y El Salvador, aunque no están en guerra, estos países han tenido conflictos fronterizos históricos. A lo anterior se suma la continua migración y la violencia vinculada principalmente al narcotráfico que también son desafíos comunes en la región. [245]

No obstante, ante esa realidad, cada vez son más las voces que han comprendido e internalizado la importancia de trabajar unidos e de impulsar medidas de consenso en busca de un mundo diferente, superior, justo, solidario e inclusivo y democrático que sea la alternativa a los grandes conflictos y la inestabilidad en que viven. El consenso marca la posibilidad de cambios positivos y significativos a favor de la humanidad. De ahí que sea imperativo insistir en la creación de estructuras comunitarias e impulsar procesos políticos que realmente generen significativos cambios sociales, económicos y políticos. Comprometidos con la paz

---

[245] Algunos de estos datos han sido localizados por la Web.

mundial, erradicar la pobreza, promover la defensa y ampliación de los derechos civiles y humanos, de la equidad de géneros, de cero tolerancia a la corrupción, el acceso a la salud y educación, la igualdad de condiciones, entre otros urgentes cambios. Promover asimismo un cambio justo y esperanzador en las expectativas de vida de los seres humanos.

En Puerto Rico, la idea de una alianza progresista para ir juntos a las elecciones más allá de los intereses político partidistas se ha convertido en una estrategia política de progresiva acogida. Abrazada por muchos puertorriqueños, incidió significativamente en la fundación del Movimiento Victoria Ciudadana (MVC) en el 2019. Este movimiento ha sido el responsable de impulsar una nueva narrativa y estrategia política que de manera general ha sido avalada por la izquierda puertorriqueña, sectores soberanistas que estaban o han permanecido en la centro izquierda, otros creyentes de la estadidad y los no afiliados. Así quedó confirmado con los resultados de las pasadas elecciones generales del 2020 en donde el bipartidismo dejó ver sus grandes grietas. El MVC mostró con inteligencia la estrategia y ruta del cambio político en Puerto Rico. Apoyando decisiones de consenso y de tender puentes con sectores afines, además de enfrentar con inteligencia las decisiones judiciales en su contra. Esas han sido algunas de sus fortalezas principales. Para algunos de sus componentes significaría ir justos en contra del capitalismo y del neoliberalismo y en busca de un orden que no dé espació a la explotación sin escrúpulos.

La insistencia del PNPR de que el ELA no era la solución al colonialismo ha quedado demostrada con el transcurrir del tiempo. Aunque se reconozca que el Puerto Rico del siglo XX, y lo que va del XXI, no es el mismo del siglo decimonónico, se ha pretendido mantener a flote un ELA con un traje que ya no le sirve. Ejemplo de ello es que se ha quedado sin el reconocimiento internacional, ni de los poderes ejecutivo, judicial y legislativo estadounidenses. Defendido tan solo por el liderato conservador de un Partido Popular que hace rato se ha quedado sin proyecto político y apoyo electoral a juzgar por los resultados de las elecciones generales 2020.

El ELA y el bipartidismo han sido responsables de que el 43.5 por ciento de los puertorriqueños viva por debajo del umbral de pobreza[246]y, en gran medida, de la continua migración de los puertorriqueños. Conforme con *El Nuevo Día,* el gobierno federal anunció que los resultados del Censo de 2020 indican que Puerto Rico ha perdido un 11.8% de población en la pasada década, la primera vez en siglos que el país pierde población en esta magnitud debido a la migración.[247] Asimismo, en el aumento en las quiebras. De acuerdo con un informe de la judicatura federal, las quiebras en Puerto Rico aumentaron; entre junio de 2021 a junio de 2022 se presentaron 3,889 peticiones de quiebras, mientras que entre 2022 a 2023, la cifra fue de 4,039, un alza de

---

[246] 10 FACTS ABOUT POVERTY IN PUERTO RICO, https://borgenproject.org/10-facts-poverty-puerto-rico/

[247] Ismael García Colón, "Inequidad y migración: crisis en el siglo 21 en Puerto Rico", lunes, 10 de mayo de 2021.

3.9%.[248] Para septiembre de 2023, la cifra de quiebras presentadas fue de 4,196, lo que representa un aumento del 6.3% en comparación con septiembre de 2022.[249] En general, el ELA y el bipartidismo han sido los responsables de los grandes problemas en los servicios médicos y de salud, las deficiencias en la educación, la rampante criminalidad en el país, la alarmante corrupción gubernamental, entre otros problemas sociales. Asimismo, la intolerancia y estigmatización de los que piensan diferentes.

Es imperativo un nacionalismo moderno que condene para siempre a los líderes que se valieron muy hábilmente y sin escrúpulos para conseguir sus propias agendas. Que abogaban por nacionalismos que dieron lugar a la intolerancia, la discriminación, la persecución ideológica-política y la xenofobia. A líderes intolerantes como Adolf Hitler, Benito Mussolini y Francisco Franco entre otros ejemplos de gobernantes que promovieron formas extremas de nacionalismo.[250] Muy poco distanciados de la represión en América, en particular de caudillos y gobiernos intolerantes que reprimieron la disidencia y esclavizaron miles de seres humanos traídos principalmente de África especialmente después de las guerras de independencia latinoamericanas y que, todavía posterior al siglo XX, se caracterizaron por sangrientas dictaduras. Entre ellos, Rafael

---

[248] "Se disparan las quiebras en Puerto Rico" en https://aldia.microjuris.com/2023/08/01/se-disparan-las-quiebras-en-puerto-rico/

[249] "Se mantiene el alza en las quiebras en Puerto Rico" en https://aldia.microjuris.com/2023/10/26/se-mantiene-el-alza-en-las-quiebras-de-puerto-rico/

[250] Ver "Nacionalismos" en https://humanidades.com/nacionalismo/

Trujillo quien gobernó a la Republica Dominicana por más de 30 años; Anastacio Somoza García y su hijo Anastacio Somoza Debayle en Nicaragua; Augusto Pinochet en Chile quien encabezara un golpe militar en el 1973 que derrocó el gobierno democrático de Salvador Ayende y Jorge Rafael Videla en Argentina de 1976 al 1983.

Todos rechazados por el nacionalismo revolucionario y antiimperialista albizuísta. Caracterizado por la lucha y respeto a nuestra soberanía interna y externa y por la lealtad a nuestros símbolos nacionales. Que en alguna medida marcó y dio pie a un nacionalismo moderno, de mayor alcance y contenido. Hoy el nacionalismo albizuísta se ha ido transformando y ajustando a las transformaciones de cada momento histórico. Dándole continuidad a fomentar la unidad y la identidad nacional. Que le dé continuidad a la lealtad y al respeto a nuestra bandera. Una identidad que nos hace diferentes a otras naciones, aun con aquellas que nos unen características afines como latinoamericanos y caribeños. Un nacionalismo moderno, que dé continuidad a la historia común de resistencia a la conquista y la colonización y de luchas por la independencia y soberanía, entre otros elementos culturales que nos hacen comunes. Que fomente procesos inclusivos y elecciones transparentes, verdaderamente democráticas. Que fomente mejorar la calidad de vida de los puertorriqueños y de todos los seres humanos. Que fomente el estudio de nuestra historia nacional como vehículo fundamental para poder comprender y apreciar nuestra identidad. Que fomente el respeto a las diferencias, la igualdad, la justicia y la solidaridad como maneras de contribuir al bienestar nacional y de todos los humanos.

Un nacionalismo moderno caracterizado por la inclusividad, la cero tolerancia al discrimen en todas sus manifestaciones; justo, solidario, democrático que condene la corrupción en todas sus modalidades. Que fomente una sociedad nueva, adornada con los valores supremos y universales que trascienden las diferencias culturales, religiosas, ideológicas-políticas e individuales. Entre esos valores universales se encuentran la honestidad, la verdad, la equidad, generosidad y la valentía y perseverancia para superar los obstáculos.

Futuras investigaciones deben considerar escudriñar en los archivos locales y federales, bibliotecas y recursos electrónicos, entre otras fuentes, aspectos que arrojen más luz sobre los roles de los Departamentos de Salud y de Justicia relacionados con la masacre en la unión de las calles Betances y Washington en Utuado. Sopesar el apoyo al nacionalismo albizuísta en la zona rural vs urbana. Un tema que suplementaría este ensayo sería "Los caídos en la Revolución Nacionalista en Puerto Rico de 1950". Indagar cómo se afectó el arraigo del discurso nacionalista con la ausencia de Albizu Campos por alrededor de los 11 años en que estuvo mayormente preso en Estados Unidos. Investigar temas que contribuyan a una interpretación de conjunto del nacionalismo albizuísta. Dejar a un lado las posturas e interpretaciones románticas, dominantes en la mayoría de los textos publicados sobre el nacionalismo albizuísta. Asimismo, examinar con actitud crítica la historiografía sobre el nacionalismo albizuísta. Además de promover la investigación de nuevos temas y perspectivas de interpretación. De tal manera que se den pasos significativos que lleven a un conocimiento e interpretación de consenso sobre el tema entre historiadores y de aprobación general entre el pueblo puertorriqueño. Todo lo dicho aquí, está sujeto a rectificaciones y a perspectivas más amplias por nuevos historiadores interesados en continuar con la investigación del nacionalismo albizuísta. Las perspectivas de cómo abordar los asuntos o temas de investigación cambian con el tiempo. Lo que se consideraba aceptable o relevante en el pasado puede no serlo en la actualidad.

En la medida que se descubran nuevas fuentes, documentos o evidencias, se podrá contribuir a tener un cuadro y una comprensión más completa y de conjunto sobre el nacionalismo puertorriqueño. Para cerrar es necesario resaltar y aclarar, que el historiador no está inmune a las influencias ideológicas y políticas.

Algunas biografías ampliadas y otras lo más completas posibles

A continuación, a la luz de la documentación examinada de los caídos durante la Revolución Nacionalista de 1950 en Utuado, se amplían en algunos casos y en otros se incluyen algunas de sus preliminares biografías.

Varios datos adicionales sobre José Álvarez de Jesús

Se añaden otros datos del citado José Álvarez de Jesús. Este recibió un disparo el 30 de octubre de 1950 en Utuado según consta en su certificación de defunción.[251] De acuerdo con éste, Álvarez de Jesús recibió un disparo en la calle Antonio R. Barceló a las 7:30 de la noche (sin precisar en qué tramo de ésta) que finaliza en uno de sus dos extremos en la calle Washington, esquina Barceló. Establece que murió 11 días[252] después, el 9 de noviembre del mismo año, a causa de una perforación en el vientre causada por una bala perdida. Muerte certificada por el Dr. Federico José Maestre como accidente.

Agustín Quiñones Mercado

Otro de los nacionalistas caídos fue el hojalatero y veterano de la Segunda Guerra Mundial, Agustín Quiñones Mercado, residente del barrio Arenas. Se observa abajo que el médico J.F. Maestre indicó que murió en la Clínica Carrasquillo a la 1:30 de la mañana del 1 de noviembre de 1950[253] debido al 'shock' después de la "amputación traumática del muslo derecho" como consecuencia de una lesión causada por un "tiroteo con la policía".[254] El médico, siguiendo el formato preparado por el Departamento de Salud, debía indicar si fue un accidente, suicidio u homicidio. Según se observa en los diferentes certificados de defunción, provoca dudas que el Dr. Maestre

[251] "Puerto Rico, Registro Civil, 1805-2001," database with images, FamilySearch (https://www.familysearch.org/ark:/61903/1:1:QVJN-87VW : 30 December 2020), José Álvarez de Jesús, 11 sep. 1950; citing Utuado, Puerto Rico, Estados Unidos de América, Puerto Rico Departamento de Salud and Iglesia Católica (Puerto Rico Department of Health and Catholic churches), Toa Alta.

[252] Debió decir diez, pues murió el 9 de noviembre de 1950, octubre tiene 31 días calendario.

[253] Es posible que se equivocara al señalar el 1 de noviembre en vez de 31 de octubre de 1950.

[254] Certificado de defunción núm. 271, Distrito 71 en Puerto Rico, Registro Civil, 1805-2001, Utuado, Defunciones 1950-1960, /www.familysearch.org.

clasificara la muerte de Agustín Quiñones Mercado como “accidente”.

Es muy difícil que una persona hospitalizada y atendida adecuadamente muera de un tiro en una de sus extremidades. A menos que fuera llevado muy tarde al hospital y su salud se encontrara tan deteriorada que fuera imposible salvarle la vida. De acuerdo con el testimonio de Ángel Colón Feliciano, uno de los nacionalistas sobrevivientes: “como a las cinco de la mañana (del 31 de octubre) vino el doctor y una enfermera a atender a los muchachos… …yo calculo que sería más o menos esa hora porque estaban bajando los obreros de Cumbre Alta … yo conocía mucha gente en Utuado y sabía que eran de Cumbre Alta … Cuando vino el doctor yo me levanté y ayudé a Agustín Quiñones … recuerdo que él hizo un comentario … Dijo: Ahora a mí me van a decir Agustín el cojo”.[255] A la pregunta de Miñi Seijo: “¿A qué hora fue el tiroteo?”, Colón Feliciano contestó: “Sería como a la una de la mañana”.[256] Lo que no está muy distanciado de la hora que se establece en varios de los certificados de defunción. Estos indican que fue a la dos de la mañana el 31 de octubre de 1950. Esos son los casos de los ametrallados: Jorge Antonio González González, Julio Colón Feliciano y Antonio Ramos Rosario, de acuerdo con lo observado en sus respectivas certificaciones de defunción.

---

[255] Ver los fragmentos citados del testimonio de Ángel Colón Feliciano en Miñi Seijo, *La insurrección nacionalista en Puerto Rico-1950*, 146.
[256] Ibid.

Se deduce que Quiñones Mercado estaba herido, pero consciente según el testimonio del nacionalista sobreviviente, Colón Feliciano, al momento de llegar el médico y la enfermera. No es hasta aproximadamente ocho horas después (1:30 de la mañana el 1 de noviembre de 1950) que fue certificada su muerte por el Dr. Maestre. Esa muerte provoca varias preguntas, entre ellas, ¿se hizo todo lo necesario para suplir la falta de flujo de sangre en su organismo? ¿Lo dejaron morir? La certificación médica no dice nada sobre la estadía en el hospital. Resulta incomprensible que, en su certificación de defunción, el Dr. Maestre ignorara el tiempo de estadía en el hospital. Se desconoce cuáles fueron los fundamentos y los criterios médicos para concluir que los nacionalistas atendidos por él a excepción de uno fueron "accidentes". ¿Hubo fuerzas externas a las médicas que incidieron en esas conclusiones? Son, entre otras, preguntas que quedan por contestar. A la luz del testimonio de Colón Feliciano: "A Agustín le destrozaron las piernas. …le quedaba los tendones. …tenía una pierna destrozada, le guindaba por los tendones. …se la destrozaron con ametralladora".[257] Añade: "la Guardia Nacional nos tiró con todas las herramientas que tenían rifles, carabinas y una ametralladora".[258] Además, en su testimonio Colón Feliciano hace referencia a que "el oficial de la Guardia Nacional y el jefe de la policía mataron a un sargento y un policía e hirieron creo que a tres guardias nacionales".[259] Por lo visto, se disparó indiscriminadamente; de ahí la más alta probabilidad de que ese sargento fuera el guardia nacional José Rodríguez Alicea

[257] Ver los fragmentos citados en Ibid.
[258] Ibid.
[259] Ibid.

y el policía Luis Rivera Cardona a quienes haremos referencia más adelante como parte de los caídos en Utuado en 1950. Conforme con el censo de 1920, Quiñones Mercado nació en el barrio Buenos Aires de Lares. Para este censo contaba con un año y seis meses.[260] Su grupo familiar estaba constituido por sus padres; su padre fue Juan Quiñones Quiñones de 40 años, de ocupación empleado jornalero de finca de café.[261] Su madre fue Juana Mercado de 36 años; tenía dos hermanas y tres hermanos varones mayores que él. Sus padres y hermanos no hablaban inglés. De acuerdo con el censo poblacional de 1940, residía con su suegra, la viuda Herminia Vélez, en la zona urbana del pueblo de Lares y era empleado mecánico de automóviles.[262] Su esposa, Luisa Hernández de 19 años, era bordadora y el hermano de esta, Elpidio Hernández Vélez de 23 años, que vivía con ellos.[263] De conformidad con ese censo, Quiñones Mercado sabía leer y escribir, pero no hablaba inglés.

---

260 "United States Census, 1920", database with images, FamilySearch (https://www.familysearch.org/ark:/61903/1:1:X971-362 : 4 February 2021), Agustin Quiñones Mercado in entry for Juan Quiñones U Quiñones, 1920.
261 Ibid.
262 "United States Census, 1940," database with images, FamilySearch (https://www.familysearch.org/ark:/61903/1:1:KFJH-PYW : 20 May 2021), Agustin Quiñones Y Mercado in household of Herminia Vélez Vda Hernandez, Lares, Lares, Puerto Rico; citing enumeration district (ED) , sheet , line , family , Sixteenth Census of the United States, 1940, NARA digital publication T627. Records of the Bureau of the Census, 1790 - 2007, RG 29. Washington, D.C.: National Archives and Records Administration, 2012, roll .
263 Ibid.

No. 271
(Para el Encargado del Registro)

GOBIERNO DE PUERTO RICO
DEPARTAMENTO DE SALUD
NEGOCIADO DE REGISTRO Y ESTADISTICA DEMOGRAFICA

CERTIFICADO DE DEFUNCION

DISTRITO No. 71

No. DE ARCHIVO
(No escriba en este espacio)

1. Lugar de Defunción:
(a) Municipio de Utuado,
(b) Zona Urbana Calle Betances
(Calle y Número o Barriada)
(c) Zona Rural:
(Nombre del Barrio)
(d) Nombre del Hospital o Institución donde ocurrió la Defunción Clínica Castañer
(e) Estadía en dicho Hospital o Institución ignora
(Especifique Años, Meses, Días)

2. Residencia Usual del Fallecido:
(a) Municipio de Utuado, P.R.
(b) Zona Urbana
(Calle y Número o Barriada)
(c) Zona Rural: Bo. Roncador
(Nombre del Barrio)
(d) Tiempo de Residencia en este Municipio
(e) ¿Es ciudadano de país extranjero? (Si o No)
Si lo es, mencione el país

3. (a) Nombre y Apellidos del Fallecido Agustín Quiñones Mercado.
(b) Si es Veterano, nombre de la Guerra
(c) No. seguridad social

4. Sexo V.
5. Color o raza Bl.
6. (a) Solter... Casad. 3
Viud... Divorciad...
6. (b) Espos... de: Viud... de: Divorciad... de Carmen E. Pérez. Edad si vive
7. Nacido en 1913
(Día) (Mes) (Año)
8. Edad: años 37 Meses 7 Días Si menor de un día Horas Minutos
9. Natural de Lares, P.R.
(Ciudad o Pueblo) (Estado o País)

OCUPACION
10. Oficio, Profesión u Ocupación hojalatero
11. (a) Industria o Negocio en que trabajaba hojalatería
(b) Fecha en que trabajó por última vez en esta ocupación (mes y año)
(c) Años que ha trabajado en esta ocupación

PADRE
12. Nombre Juan Quiñones
13. Natural de Lares P.R.

MADRE
14. Nombre de Soltera Julia Mercado
15. Natural de Lares P.R.

16. (a) Firma del Informante Felipe Cortés
(b) Dirección Utuado P.R.
17. (a) Cementerio donde fué enterrado o sitio donde se trasladó el Cadáver en Utuado
(b) Fecha de Inhumación o Traslado Nov. 1/50
18. (a) Firma del Agente Funerario Felipe Cortés
(b) Dirección Utuado P.R.
19. (a) Inscrito hoy 1 Nov. 1950
(Día) (Mes) (Año)
(b) Encargado del Registro

CERTIFICACION MEDICA

20. Fecha de Defunción: Mes Nov. Día 1
Año 1950 Hora 1:30 a.m. Minutos

21. Por la Presente Certifico que: (Complete a o b)
(a) Asistí al fallecido desde 31 oct. 1950 hasta 31 oct. 1950 y que lo vi vivo por última vez en Nov. 1 1950.
(b) No asistí al fallecido y esta Certificación se hace a base de información suministrada por (Nombre del informante) en su carácter de (padre, madre, hermano, amigo, etc.) del fallecido

Causa inmediata de la muerte Shock | Duración:
Amputación
Debido a Traumática muslo | 23 hrs.
Otras causas derecho.
(Anótese embarazo dentro de los 3 meses antes de la defunción)
Diagnóstico confirmado por:
(a) Examen de laboratorio (Menciónese el análisis)
(b) Rayos X (c) Autopsia No
Nombre y fecha de la operación quirúrgica, si la hubo amputación pierna
Motivo que la requirió

El Médico subrayará la causa que cree debe ser considerada para la clasificación Estadística.

22. Si la muerte fué violenta llene los siguientes apartados:
(a) ¿Accidente, suicidio u homicidio? accidente?
(b) Fecha en que ocurrió Oct. 31, 1950 19..
(c) Sitio donde ocurrió calle Washington
(d) Especifique la lesión y el arma o instrumento que la causó Disparo por policía.

23. (a) Nombre del médico
(b) Firma del médico M.D.
(c) Fecha Nov. 1, 1950 19..
(d) Dirección Utuado P.R.

Permiso de (Enterramiento) (Traslado) expedido en Nov. 1, 1950 Por

Nacionalista-Agustín Quiñones Mercado

Julio Colón Feliciano

Julio Colón Feliciano fue otro de los combatientes nacionalistas asesinado en Utuado. Este tenía 22 años, de oficio carpintero y residente del barrio Salto Arriba de ese pueblo.[264] De acuerdo con su certificado de defunción, murió en la calle Washington. El médico J. F. Maestre certificó su muerte estableciendo como su causa una "Bullet Wound Abdomen" (Herida de Bala de Abdomen) resultado de un "accidente".[265] El certificado de defunción establece que la muerte se produjo a 2 AM. el 31 de octubre de 1950. Colón Feliciano era soltero y natural de Coamo al igual que sus padres Arcadio Colón Cartagena y Encarnación Feliciano.[266] Conforme con el censo poblacional de 1940, residían en el barrio Viví Abajo de Utuado.[267] Además de sus padres, el grupo familiar lo constituía él, que en ese entonces contaba con 12 años, y sus hermanos: Ángel de 13, Delia de 9 y Terencia de 6, naturales de Coamo. Se desprende del censo que los menores Silvia de 3 y Víctor Manuel de 1 año nacieron en Utuado. En correspondencia con ese censo, Julio asistía a la escuela y hablaba inglés. Si su hermana Silvia nació en Utuado y para la realización del censo contaba con tres años, esto sugiere

---

[264] Ver Certificado de defunción núm. 268, Distrito 71 en Puerto Rico, Registro Civil, 1805-2001 Utuado Defunciones 1950-1960, www.familysearch.org.

[265] Ibid.

[266] Se desprende del censo poblacional de 1940 que nació en Coamo. Ver "United States Census, 1940," database with images, FamilySearch (https://www.familysearch.org/ark:/61903/1:1:KFJ9-RPQ : 20 May 2021), Julio Colon Feliciano in household of Arcadio Colon Y Cartagena, Barrio Viví Abajo, Utuado, Puerto Rico; citing enumeration district (ED) , sheet , line , family , Sixteenth Census of the United States, 1940, NARA digital publication T627. Records of the Bureau of the Census, 1790 - 2007, RG 29. Washington, D.C.: National Archives and Records Administration, 2012, roll.

[267] Ibid.

que antes de 1937 su familia se trasladó de Coamo a Utuado. De acuerdo con el censo de 1950, la familia de Colón Feliciano se había reubicado en el barrio Arenas.[268] Su residencia, identificada como la vivienda número 13 en el orden de visita de ese censo, estaba a un kilómetro de la carretera. Su padre era administrador de finca de tabaco, mientras que Julio de 20 años y su hermano Ángel eran obreros agrícolas de finca de caña.[269] Según ese censo, ambos hermanos eran solteros; Julio asistió a la escuela hasta el noveno grado y Ángel hasta el tercer grado; el primero hablaba inglés y el segundo no.[270]

De acuerdo con lo narrado por su hermano, Ángel, y la memoria del otro nacionalista sobreviviente, Gilberto Martínez, y de lo contado por este último a su vez al abogado retirado Luis Alberto Torres Rodríguez, él estaba entre los 3 nacionalistas que, al salir de la casa de Heriberto Castro en el sector Bubao del barrio Viví Abajo, se encaminaron por el Río Viví hasta llegar y salir por los predios del antiguo Banco de Ponce en la calle Dr. Cueto y de allí, por la misma calle hasta llegar a la residencia de Damián Torres.[271] Ángel y su hermano, Julio Colón Feliciano, se encontraban entre los nacionalistas que bajaron de la casa de Damián Torres y fueron registrados en la parte baja de la plaza de recreo. Conforme con lo que dice Ángel, uno de los guardias nacionales dijo:

---

[268] "United States 1950 Census", database, FamilySearch (ark:/61903/1:1:6F6H-XJN4 : Mon Mar 20 17:31:55 UTC 2023), Entry for Terencia Colon Feliciano and Sylvia Colon Feliciano, 10 April 1950.
[269] Ibid.
[270] Ibid.
[271] Ver Miñi Seijo, *La insurrección nacionalista en Puerto Rico-1950*, 143. Los tres eran los hermanos Julio y Ángel Colón Feliciano armados y Tomás González Candelaria.

'Nosotros les vamos a quitar las ganas que tienen ustedes de asesinar policías'. Allí nos pusieron en fila y nos mandaron a poner las manos en la nuca, a quitar los cinturones y los zapatos y nos quitaron todo lo que teníamos en los bolsillos. Nos dieron la orden de caminar pero, se supone que, para llevarnos al cuartel, nos tenían por la calle Barceló, que es más cerca, pero nos llevaron por la calle Betances en dirección a la calle Washington. Cuando llegamos a la calle Washington, ya la policía nos estaba esperando… Cuando íbamos llegando al cuartel … allí había una ametralladora y estaban muchos guardias nacionales. … entonces se sintió una descarga de ametralladora y, es claro, cayeron los de alante (sic), entre ellos estaba mi hermano. Cayeron heridos".[272]

Continua narrando Ángel Colón Feliciano:

> Tony Ramos estaba al lado mío. Cuando el cayó, yo me tiré al piso. (…) cuando oí la descarga me tiré al piso. (…) entonces empezaron a oírse los gritos de los compañeros. (…) estuvieron mucho rato tirando sobre nosotros. (...) mucho, mucho rato.[273]

Se deduce del testimonio de Ángel un posible plan para asesinar a los nacionalistas por las expresiones previas de un miembro de la guardia nacional al decir "Nosotros les vamos a quitar las ganas que tienen ustedes de asesinar policías". Esto puede explicar el por qué se esperó alrededor de la media noche del 30 de octubre de 1950 para obligar a los combatientes nacionalistas a bajar de la residencia de Damián Torres, presidente de la Junta Municipal Nacionalista, localizada para el 1950 en los altos de su tienda que en ese entonces estaba en la esquina izquierda de la tradicional salida de la plaza de recreo en dónde se unen las calles Antonio Sánchez López y Dr. Cueto. De tal manera, según sugiere la documentación consultada, que a la media noche o en las primeras horas de la madrugada del día siguiente (31 de octubre de 1950), las personas se encontraran durmiendo y así llevar a cabo el plan de ejecutar a los combatientes nacionalistas.

---

[272] Ibid. 144-145.
[273] Ibid., 145.

No. 268
(Para el Encargado del Registro)

GOBIERNO DE PUERTO RICO
DEPARTAMENTO DE SALUD
NEGOCIADO DE REGISTRO Y ESTADISTICA DEMOGRAFICA

CERTIFICADO DE DEFUNCION

DISTRITO No. 71

No. DE ARCHIVO
(No escriba en este espacio)

1. Lugar de Defunción:
(a) Municipio de: Utuado
(b) Zona Urbana: (Calle y Número o Barriada)
(c) Zona Rural: Calle Washington
(Nombre del Barrio)
(d) Nombre del Hospital o Institución donde ocurrió la Defunción
(e) Estadía en dicho Hospital o Institución
(Especifique Años, Meses, Días)

2. Residencia Usual (del Fallecido):
(a) Municipio de: Utuado, P.R.
(b) Zona Urbana: (Calle y Número o Barriada)
(c) Zona Rural: Bo. Sto. Domingo
(Nombre del Barrio)
(d) Tiempo de Residencia en este Municipio
(e) ¿Es ciudadano de país extranjero? (Si o No)
Si lo es, mencione el país

3. (a) Nombre y Apellidos del Fallecido: Julio Colón Feliciano
(b) Si es Veterano, nombre de la Guerra
(c) No. seguridad social

4. Sexo: M
5. Color o raza: Bl.
6. (a) Soltero... Casad... Viud... Divorciad...
6. (b) Espos... de: Viud... de: Divorciad... de
Edad si vive
7. Nacido en: 1928
(Día) (Mes) (Año)
8. Edad: años 22 | Meses | Días | Si menor de un día Horas... Minutos
9. Natural de: Coamo, P.R.
(Ciudad o Pueblo) (Estado o País)

OCUPACIÓN
10. Oficio, Profesión u Ocupación: Carpintero
11. (a) Industria o Negocio en que trabajaba: Carpintería
(b) Fecha en que trabajó por última vez en esta ocupación (mes y año)
(c) Años que ha trabajado en esta ocupación

PADRE
12. Nombre: Arcadio Colón Cartagena
13. Natural de: Coamo P.R.

MADRE
14. Nombre de Soltera: Encarnación Feliciano
15. Natural de: Coamo, P.R.

16. (a) Firma del Informante: Dr. Pedro N. Menendez
(b) Dirección: Utuado P.R.
17. (a) Cementerio donde fué enterrado o sitio donde se trasladó el Cadáver: En Utuado
(b) Fecha de Inhumación o Traslado: Oct. 31/50
18. (a) Firma del Agente Funerario: Felipe Cortés
(b) Dirección: Utuado P.R.
19. (a) Inscrito hoy: 31 Oct. 1950
(Día) (Mes) (Año)
(b) Encargado del Registro: [firma]

CERTIFICACIÓN MÉDICA
20. Fecha de Defunción: Mes Oct. Día 31
Año 1950 Hora 2 A. Minutos
21. Por la presente certifico que: (Complete a o b)
(a) Asistí al fallecido desde ... 194... hasta ... 194..., y que lo vi vivo por última vez en ... 194...
(b) No asistí al fallecido y esta Certificación se hace a base de información suministrada por (Nombre del informante) en su carácter de (padre, madre, hermano, amigo, etc.) del fallecido

Causa inmediata de la muerte: Bullet through abdomen
Debido a
Otras causas
(Anótese embarazo dentro de los 3 meses antes de la defunción)
Diagnóstico confirmado por:
(a) Examen de laboratorio (Mencione el análisis)
(b) Rayos X (c) Autopsia
Nombre y fecha de la operación quirúrgica, si la hubo
Motivo que la requirió

Duración:

El Médico subrayará la causa que crea debe ser considerada para la clasificación Estadística.

22. Si la muerte fué violenta llene los siguientes apartados:
(a) ¿Accidente, suicidio u homicidio? accidente
(b) Fecha en que ocurrió: Oct. 31, 1950
(c) Sitio donde ocurrió: Calle Washington
(d) Especifique la lesión y el arma o instrumento que la causó: en Tiroteo
23. (a) Nombre del médico: F. J. Infante
(b) Firma del médico: F. J. Infante M.D.
(c) Fecha: Oct. 31/50 19...
(d) Dirección: Utuado P.R.

Permiso de (Enterramiento) (Traslado) expedido en Oct. 31, 1950 Por: [firma]

Julio Colón ***Feliciano***

Antonio Ramos Rosario

Otro nacionalista asesinado por la Guardia Nacional fue el obrero agrícola y veterano de la Segunda Guerra Mundial, Antonio Ramos Rosario. Este, como se puede ver en la siguiente imagen de su certificado de defunción, murió a las 2 de la mañana, al igual que Julio Colón Feliciano, a causa de una "Bullet Wound Abdomen" (Herida de Bala en el Abdomen) debido a un "tiroteo" según certificara el Dr. Maestre. Contaba con 32 años y con domicilio en el barrio Viví Abajo.[274]¿Sería casualidad que ambos murieran a la misma hora? De acuerdo con su certificado de defunción, Ramos Rosario era de ocupación obrero agrícola y estaba casado con María Viruet, ambos naturales de Utuado.[275] Esta pareja tuvo una hija llamada Esther María Ramos Viruet que murió el 15 de marzo de 1944 por causas desconocidas a menos de 12 horas de nacida, según certificara el Dr. A. Marchand.[276] Los padres del nacionalista Ramos Rosario, José Ramos y María Rosario, eran naturales de Utuado.[277]

---

[274] Certificado de defunción núm. 267, Distrito 71 en Puerto Rico, Registro Civil, 1805-2001 Utuado Defunciones 1950-1960, www.familysearch.org.
[275] Ibid.
[276] "Puerto Rico, Registro Civil, 1805-2001," database with images, FamilySearch (https://www.familysearch.org/ark:/61903/1:1:QVJN-ZHWG : 31 December 2020), Esther María Ramos Viruet, 15 Mar 1944; citing Utuado, Puerto Rico, Estados Unidos de América, Puerto Rico Departamento de Salud and Iglesia Católica (Puerto Rico Department of Health and Catholic churches), Toa Alta.
[277] Certificado de defunción núm. 267.

No. 267
(Para el Encargado del Registro)

GOBIERNO DE PUERTO RICO
DEPARTAMENTO DE SALUD
NEGOCIADO DE REGISTRO Y ESTADISTICA DEMOGRAFICA

CERTIFICADO DE DEFUNCION

DISTRITO No. 71

No. DE ARCHIVO
(No escriba en este espacio)

1. Lugar de Defunción (a) Municipio de Utuado
(b) Zona Urbana Calle Washington (Calle y Número o Barriada)
(c) Zona Rural: (Nombre del Barrio)
(d) Nombre del Hospital o Institución donde ocurrió la Defunción
(e) Estadía en dicho Hospital o Institución (Especifique Años, Meses, Días)

2. Residencia Usual del Fallecido (a) Municipio de Utuado P.R.
(b) Zona Urbana Bo. Viví Abajo (Calle y Número o Barriada)
(c) Zona Rural: (Nombre del Barrio)
(d) Tiempo de Residencia en este Municipio 32 años
(e) ¿Es ciudadano de país Extranjero? (Sí o No)
Si lo es, mencione el país.

3. (a) Nombres y Apellidos del Fallecido Antonio Ramos Rosario
(b) Si es Veterano, nombre de la Guerra: 2a Ind. Guerra Mundial
(c) No. seguridad social

4. Sexo V. | 5. Color o raza Bl. | 6. (a) Soltero Casado Viudo Divorciado

6. (b) Esposo de: Viudo de: Divorciado de: Carla Vinel Edad si vive 1918

7. Nacido en (Día) (Mes) (Año)

8. Edad años 32 | Meses | Días | Si menor de un día Horas Minutos

9. Natural de Utuado P.R. (Ciudad o Pueblo) (Estado o País)

OCUPACIÓN
10. Oficio, Profesión u Ocupación Obrero
11. (a) Industria o Negocio en que trabajaba agrícola
(b) Fecha en que trabajó por última vez en esta ocupación (mes y año)
(c) Años que ha trabajado en esta ocupación

PADRE
12. Nombre José Ramos
13. Natural de Utuado, P.R.

MADRE
14. Nombre de Soltera María Rosario
15. Natural de Utuado, P.R.

16. (a) Firma del Informante José Gonzalez
(b) Dirección Utuado P.R.

17. (a) Cementerio donde fué enterrado o sitio donde se trasladó el Cadáver En Utuado
(b) Fecha de Inhumación o Traslado Oct. 31/50

18. (a) Firma del Agente Funerario Felipe Cortés
(b) Dirección Utuado P.R.

19. (a) Inscrito hoy 31 Oct. 1950 (Día) (Mes) (Año)
(b) Encargado del Registro

CERTIFICACION MEDICA

20. Fecha de Defunción: Mes Oct. Día 31 Año 1950 Hora 2 P. Minutos

21. Por la Presente Certifico que: (Complete a o b)
(a) Asistí al fallecido desde 31 Oct. 1950 hasta 31 Oct. 1950 y que lo vi vivo por última vez en 31 Oct. 1950.
(b) No asistí al fallecido y esta Certificación se hace a base de información suministrada por (Nombre del informante), en su carácter de (padre, madre, hermano, amigo, etc.) del fallecido

Causa inmediata de la muerte Bullet wound abdomen
Debido a
Otras causas
(Anótese embarazo dentro de los 3 meses antes de la defunción)

DURACIÓN:

Diagnóstico confirmado por:
(a) Examen de laboratorio (Mencione el análisis)
(b) Rayos X (c) Autopsia
Nombre y fecha de la operación quirúrgica, si la hubo
Motivo que la requirió

El Médico subrayará la causa que crea debe ser considerada para la clasificación Estadística.

22. Si la muerte fué violenta llene los siguientes apartados:
(a) ¿Accidente, suicidio u homicidio? Homicidio
(b) Fecha en que ocurrió Oct. 31 1950
(c) Sitio donde ocurrió Calle Washington
(d) Especifique la lesión y el arma o instrumento que la causó Disparo

23. (a) Nombre del médico
(b) Firma del médico M.D.
(c) Fecha Oct. 31, 1950
(d) Dirección Utuado, P.R.

Permiso de (Enterramiento) (Traslado) expedido en Oct. 31 1950 Por:

Nacionalista-Antonio Ramos Rosario

Jorge Antonio González González

El quinto de los nacionalistas asesinados fue el joven obrero agrícola, Jorge Antonio González de 20 años, piel blanca, soltero y domiciliado en el barrio Viví Abajo.[278] Fue asesinado el 31 de octubre de 1950 a las 2:00 de la mañana en la calle Betances, al igual a Julio Colón Feliciano y Antonio Ramos Rosario, a causa de una "Bullet Wound Abdomen" (Herida de Bala en el Abdomen) a consecuencia de un tiroteo, según certificara el Dr. Maestre.[279] Conforme con el certificado de defunción, su padre, Antonio González, y su madre, María González, eran naturales de Utuado y residentes del barrio Viví Abajo.

De acuerdo con el acta de nacimiento, Jorge Antonio, nació el 19 de noviembre de 1929 en Utuado.[280] El nombre de su madre no consta en ese certificado. Su abuelo paterno fue el soltero Bernardo González Rodríguez.[281] Según los resultados del censo poblacional de 1910, los abuelos paternos de Jorge Antonio residían en el barrio Sabana Grande de Utuado.[282] Su abuelo,

---

[278]Certificado de defunción núm. 270, Distrito 71. "Puerto Rico, Registro Civil, 1805-2001," database with images, FamilySearch (https://www.familysearch.org/ark:/61903/1:1:QVJF-LGZ1 : 31 December 2020), Jorge Antonio González, 19 Nov 1929; citing Utuado, Puerto Rico, Estados Unidos de América, Puerto Rico Departamento de Salud and Iglesia Católica (Puerto Rico Department of Health and Catholic churches), Toa Alta.

[279] Ibid.

[280] "Puerto Rico, Registro Civil, 1805-2001," database with images, FamilySearch (https://www.familysearch.org/ark: /61903/1:1:QVJF-LGZ1 : 31 December 2020), Jorge Antonio González, 19 Nov 1929; citing Utuado, Puerto Rico, Estados Unidos de América, Puerto Rico Departamento de Salud and Iglesia Católica (Puerto Rico Department of Health and Catholic churches), Toa Alta.

[281] Ibid. No consta el nombre de su abuela paternal ni tampoco de sus abuelos maternales.

[282] "United States Census, 1910," database with images, FamilySearch (https://familysearch.org/ark:/61903/1:1:VW2M-R72 : accessed 22 April

González Rodríguez, era jefe de familia, de 37 años, de ocupación empleado labrador de finca de café[283] Su abuela, Rosa González Méndez, constaba con 34 años; ambos eran mulatos y mantenían una relación consensual.[284] Se suman al grupo familiar su hija, Julia de 14 años, Clodomiro de 12, José de 8 y Octavio de 4 meses.[285] Reporta el censo poblacional de 1920 que el abuelo de Jorge Antonio, González Rodríguez contaba con 49 años, continuaba residiendo en el barrio Sabana Grande y mantenía la misma ocupación reportada en el censo anterior.[286] Su esposa, Rosa de 43 años, se encontraba desempleada. Además de sus abuelos, el grupo familiar estaba constituido por tres varones, una hija y Jorge, un niño de 12 años; ninguno de ellos sabía leer ni escribir.[287]

En correspondencia con el censo poblacional de 1930, la familia de Jorge Antonio residía en el barrio Viví Abajo.[288] Su padre y jefe de familia era blanco, de 25 años, con casa propia y libre de impuestos; no sabía leer ni escribir, tampoco hablaba inglés y era

---

2023), Bernardo Gonzalez Y Rodriguez, Sabana Grande, Utuado, Puerto Rico; citing enumeration district (ED) ED 223, sheet 13B, family 114, NARA microfilm publication T624 (Washington D.C.: National Archives and Records Administration, 1982), roll 1781; FHL microfilm 1,375,794.

[283] Ibid.

[284] Ibid.

[285] Ibid.

[286] "United States Census, 1920", database with images, FamilySearch (ark:/61903/1:1:X9WG-S41 : Mon Mar 13 10:56:17 UTC 2023), Entry for Bernardo González Y Rodríguez and Octavio González Y González, 1920.

[287] Ibid.

[288] "United States Census, 1930," database with images, FamilySearch (https://www.familysearch.org/ark:/61903/1:1:V68M-ZK1 : accessed 19 April 2023), Jorge González Gonzalez in household of Jorge González Gonzalez, Vivi Abajo, Utuado, Puerto Rico; citing enumeration district (ED) ED 26, sheet 22B, line 69, family 28, NARA microfilm publication T626 (Washington D.C.: National Archives and Records Administration, 2002), roll 2665; FHL microfilm 2,342,399.

de ocupación “peón de trucks”.[289] Su madre de 21 años era blanca y la única del grupo familiar que sabía leer y escribir, pero no hablaba inglés y era desempleada.[290] Además de sus padres, constituían su grupo familiar Jorge Antonio que en ese momento era un niño de cinco meses y su hermano, Rafael de 5 años.[291] Sin embargo, cinco años después del censo de 1930, el 5 de marzo de 1935, aparecen sus padres, Jorge González y María González, contrayendo matrimonio por la iglesia católica.[292]

Conforme con el censo poblacional de 1940, su familia, menos Jorge Antonio, aparecen residiendo en el poblado Cataño del barrio Viví Abajo.[293] Es decir, no consta en el grupo familiar. El padre de Jorge Antonio es de ocupación labrador de finca de caña.[294] Situación similar a la anterior, ocurre con el censo de 1950, tampoco aparece registrado en el grupo familiar que

---

[289] Ibid.

[290] Ibid.

[291] Ibid.

[292] "Puerto Rico, Registro Civil, 1805-2001," database with images, FamilySearch (https://www.familysearch.org/ark:/61903/1:1:QVJF-TTCM : 23 December 2020), Jorge González and María González González, ; citing Utuado, Puerto Rico, Puerto Rico Departamento de Salud and Iglesia Católica (Puerto Rico Department of Health and Catholic churches), Toa Alta.

[293] "United States Census, 1940," database with images, FamilySearch (https://www.familysearch.org/ark:/61903/1:1:KFJ9-PTK : 20 May 2021), Jorge González González, Barrio Viví Abajo, Utuado, Puerto Rico; citing enumeration district (ED) , sheet , line , family , Sixteenth Census of the United States, 1940, NARA digital publication T627. Records of the Bureau of the Census, 1790 - 2007, RG 29. Washington, D.C.: National Archives and Records Administration, 2012, roll . El censo poblacional de 1930 se menciona que Jorge Antonio, residía con sus padres en Viví Abajo, sin embargo, en el de 1940, se especifica que su familia residía en el poblado Cataño de ese barrio.

[294] Ibid.

continuaba residiendo en el poblado de Cataño.[295] Pero aparte de que Jorge Antonio no aparezca en los censos de 1940 y 1950, se puede observar en su acta de defunción que la persona que ofrece sus datos personales al médico es su padre, Jorge, lo que sugiere que residía con su padre en el poblado Cataño en Viví Abajo. El padre de Jorge Antonio, que precisamente llevaba su primer nombre, murió el 4 de enero de 1966 a causa de estar enfermo de la próstata a la edad de 66 años.[296] Este era vendedor ambulante de frutos menores.[297] La madre de Jorge Antonio, con residencia en lo que se conoce hoy el Caserío Fernando Luis García Ledesma, Edificio B-14, Apartamento 165, murió el 13 de noviembre de 1981 a los 74 años a causa de hipertensión debido a un paro cardiaco respiratorio, según certificara el doctor R. Echeandía.[298]

La documentación consultada sugiere que, con la desaparición de la economía del café, la familia de Jorge Antonio emigró del campo a la ciudad ocupando los empleos más bajos y sencillos. Su mamá asistió a la escuela hasta el quinto grado. Sus hijos, en

---

[295] "United States 1950 Census", database, FamilySearch (ark:/61903/1:1:6F6H-LNKK : Tue Mar 28 21:43:57 UTC 2023), Entry for Jorge González and María González De González, 10 April 1950.

[296] "Puerto Rico, Registro Civil, 1805-2001," database with images, FamilySearch (https://www.familysearch.org/ark:/61903/1:1:QVJN-85DM : 30 December 2020), Jorge González González, 1 Apr. 1966; citing Utuado, Puerto Rico, Estados Unidos de América, Puerto Rico Departamento de Salud and Iglesia Católica (Puerto Rico Department of Health and Catholic churches), Toa Alta.

[297] Ibid.

[298] "Puerto Rico, Registro Civil, 1805-2001," database with images, FamilySearch (https://www.familysearch.org/ark:/61903/1:1:QVJN-8JGH : 31 December 2020), Jorge González in entry for María González González, 13 Nov 1981; citing Utuado, Puerto Rico, Estados Unidos de América, Puerto Rico Departamento de Salud and Iglesia Católica (Puerto Rico Department of Health and Catholic churches), Toa Alta.

términos generales, no tuvieron la oportunidad de asistir a la escuela.

No. 270 (Para el Encargado del Registro)

GOBIERNO DE PUERTO RICO
DEPARTAMENTO DE SALUD
NEGOCIADO DE REGISTRO Y ESTADÍSTICA DEMOGRÁFICA

CERTIFICADO DE DEFUNCION

DISTRITO No. 71

No. DE ARCHIVO (No escriba en este espacio)

1. Lugar de Defunción: (a) Municipio de Utuado, P.R. (b) Zona Urbana (Calle y Número o Barriada) (c) Zona Rural: Calle Betances (Nombre del Barrio) (d) Nombre del Hospital o Institución donde ocurrió la Defunción (e) Estadía en dicho Hospital o Institución (Especifique Años, Meses, Días)

2. Residencia Usual del Fallecido: (a) Municipio de Utuado, P.R. (b) Zona Urbana (Calle y Número o Barriada) (c) Zona Rural: Bo. Caonillas Arriba (Nombre del Barrio) (d) Tiempo de Residencia en este Municipio 20 años (e) ¿Es ciudadano de país extranjero? no (Sí o No) Si lo es, mencione el país

3. (a) Nombre y Apellidos del Fallecido Jorge Antonio González González (b) Si es Veterano, nombre de la Guerra (c) No. seguridad social

4. Sexo V 5. Color o raza Bl. 6. (a) Soltero Casad. Viud. Divorciad.

6. (b) Espos. de: Viud. de: Divorciad. de Edad si vive

7. Nacido en 1930 (Día) (Mes) (Año)

8. Edad: años 20 Meses Días Si menor de un día Horas Minutos

9. Natural de Utuado, P.R. (Ciudad o Pueblo) (Estado o País)

OCUPACIÓN: 10. Oficio, Profesión u Ocupación Obrero 11. (a) Industria o Negocio en que trabajaba Agrícola (b) Fecha en que trabajó por última vez en esta ocupación (mes y año) (c) Años que ha trabajado en esta ocupación

PADRE: 12. Nombre Jorge González 13. Natural de Utuado, P.R.

MADRE: 14. Nombre de Soltera María González 15. Natural de Utuado, P.R.

16. (a) Firma del Informante Jorge González (b) Dirección Utuado, P.R.

17. (a) Cementerio donde fué enterrado o sitio donde se trasladó el Cadáver Utuado (b) Fecha de Inhumación o Traslado Oct. 31/50

18. (a) Firma del Agente Funerario Municipio (b) Dirección Utuado, P.R.

19. (a) Inscrito hoy 31 oct. 1950 (Día) (Mes) (Año) (b) Encargado del Registro

CERTIFICACION MEDICA

20. Fecha de Defunción: Mes Oct. Día 31 Año 1950 Hora 2 A.M. Minutos

21. Por la Presente Certifico que: (Complete a o b) (a) Asistí al fallecido desde 194.. hasta 194..., y que lo ví vivo por última vez en 194.. (b) No asistí al fallecido y esta Certificación se hace a base de información suministrada por (Nombre del informante) en su carácter de (padre, madre, hermano, amigo, etc.) del fallecido

Causa inmediata de la muerte: Bullet Wound abdomen — Duración:

Debido a

Otras causas

(Anótese embarazo dentro de los 3 meses antes de la defunción)

Diagnóstico confirmado por: (a) Examen de laboratorio (Mencione el análisis) (b) Rayos X (c) Autopsia

Nombre y fecha de la operación quirúrgica, si la hubo

Motivo que la requirió

El Médico subrayará la causa que crea debe ser considerada para la clasificación Estadística.

22. Si la muerte fué violenta llene los siguientes apartados: (a) ¿Accidente, suicidio u homicidio? accidente (b) Fecha en que ocurrió Oct. 31, 1950 (c) Sitio donde ocurrió calle Betances (d) Especifique la lesión y el arma o instrumento que la causó Tiroteo

23. (a) Nombre del médico (b) Firma del médico M.D. (c) Fecha Oct. 31/50 19.. (d) Dirección Utuado, P.R.

Permiso de (Enterramiento) (Traslado) expedido en Oct. 31, 1950 Por

Jorge Antonio González González

El guardia nacional José Rodríguez Alicea

Además de los nacionalistas mencionados antes, se ha podido encontrar el acta de defunción de 4 personas adicionales que murieron en la Masacre Nacionalista de 1950 en Utuado. Entre éstos el miembro de la guardia nacional, José Rodríguez Alicea de 32 años, residente de la calle La Pinta de Arecibo. Este, según su certificado de defunción, murió a las dos de la mañana en la calle Washington a causa de una "Bullet Wound Chest" (Herida de Bala en el Pecho) como consecuencia de un tiroteo.[299]

Sin embargo, a diferencia de los nacionalistas asesinados cuyas muertes fueron catalogadas como accidente, la del guardia nacional José Rodríguez Alicea fue clasificada por el médico Maestre como un homicidio.[300] Las circunstancias de esta muerte no están del todo claras. Si los nacionalistas según se ha mencionado, se habían rendido, habían sido arrestados y desarmados a eso de la media noche, entonces, ¿quién o quiénes dispararon? ¿Se investigó esa muerte? ¿El disparo en su pecho, provino de la Guardia Nacional o la Policía? ¿Se hicieron pruebas balísticas? ¿Se culpó a los nacionalistas sin investigar? Son preguntas que aún quedan por contestar.

Además de lo antes dicho, se desprende del certificado de defunción de Rodríguez Alicea que era veterano de la Segunda

---

[299] "Puerto Rico, Registro Civil, 1805-2001," database with images, FamilySearch (https://www.familysearch.org/ark: /61903/1:1:QVJN-ZLK1:30 December 2020), José Rodríguez Alicea, 31 Oct 1950; citing Utuado, Puerto Rico, Estados Unidos de América, Puerto Rico Departamento de Salud and Iglesia Católica (Puerto Rico Department of Health and Catholic churches), Toa Alta.
[300] Ibid.

Guerra Mundial, tenía 32 años, estaba casado con Amalia Rodríguez, y era al igual que sus padres, natural de Hatillo. Obsérvese en los certificados de defunción que el guardia nacional murió, al igual que Julio Colón Feliciano, Antonio Ramos Rosario y Jorge Antonio González, el 31 de octubre de 1950 a las 2:00 de la mañana. La única diferencia es que los tres nacionalistas murieron de a causa de una "Bullet Wound Abdomen" (Herida de Bala en el Abdomen) debido a un "accidente" según certificara el Dr. Maestre y el guardia nacional murió, según dicho, de una herida en el pecho. ¿Cómo es posible que ese médico haga referencia a un tiroteo cuando en los testimonios de varios de los nacionalistas sobrevivientes se establece que estos se habían rendidos, habían sido arrestados, registrados, desarmados y caminaban con las manos en la cabeza llevados por la calle Ramón Emeterio Betances hasta donde se une esta con la Washington donde fueron ametrallados? Las circunstancias en que fue tiroteado el policía Luis Rivera Cardona apuntan a que no fueron diferentes a la de los nacionalistas. Tal vez la diferencia estriba en el lenguaje utilizado por el doctor Axtmayer.

El registro poblacional de 1940 muestra que Rodríguez Alicea Cardona residía con sus padres y siete hermanos/as en el pueblo de Hatillo.[301] En ese momento era soltero, contaba con 18 años, no sabía leer ni escribir, tampoco hablaba inglés y era empleado como sirviente en un hotel.[302] Unos meses antes de su muerte, en abril de 1950, Rodríguez Alicea de 32 años residía en la calle

[301] "United States Census, 1940", database with images, FamilySearch (ark:/61903/1:1:KFJ4-MV3 : Wed Apr 05 15:22:21 UTC 2023), Entry for Blas Rodríguez Rodz and Jose Rodriguez Alicea, 1940.

[302] Ibid.

Trocha núm. 154 de Arecibo con su esposa, Emilia Rodríguez González de 42.[303] Ella se desempeñaba como administradora y él como mozo de fonda.[304] Sin embargo, contrario al censo de 1940, el de 1950 indica que él asistió a la escuela hasta el grado diez.[305]

GOBIERNO DE PUERTO RICO
DEPARTAMENTO DE SALUD
NEGOCIADO DE REGISTRO Y ESTADISTICA DEMOGRAFICA
CERTIFICADO DE DEFUNCION

Guardia Nacional - José Rodríguez Alicea

---

303 "United States 1950 Census", database, FamilySearch (ark:/61903/1:1:6F6H-DKNY : Tue Mar 28 21:34:50 UTC 2023), Entry for José Rodriquez Alicea and Emilie Rodrigeuz González, 10 April 1950.

304 Ibid.

305 Ibid.

El policía insular Juan Luis Rivera Cardona[306]

Hasta el momento, en la Revolución Nacionalista en Utuado, sólo murió un policía insular de nombre Juan Luis Rivera Cardona. Conforme con su certificado de defunción e información provista por su hermano Gregorio Rivera, ilustrada abajo, al igual que sus padres Pedro Rivera y Joaquina Cardona eran naturales del pueblo de Lares.[307] Al momento de su muerte vivía en el barrio Callejones de ese pueblo, contaba con 38 años, estaba casado con Buenaventura Torres Echeandía.[308] Su muerte fue certificada por el Dr. Gabriel W. Axtmayer[309] de homicidio, murió el 31 de octubre de 1950, en el Hospital Municipal de Utuado, 10 minutos después de su llegada, a causa de una hemorragia interna debido a una herida de bala.[310] Según se observa abajo, fue "abaleado en la calle", sin indicar su nombre, ni hora. Al no indicarse dichos pormenores respecto al nombre de la calle y la hora en que fue abaleado el policía Rivera Cardona, se generan algunas dudas y preguntas. ¿Se pretendía ocultar o encubrir que fue herido mortalmente en la calle Betances a las dos de la mañana del 31 de octubre de 1950, cuando fueron asesinados los nacionalistas aludidos y un miembro de la guardia nacional. ¿Esto se hizo con premeditación para acusar a los nacionalistas del disparo que provocó su muerte? ¿Qué provocó las tachaduras en más de una ocasión en su certificado de defunción, según se puede observar con respecto al día de su muerte? Tal vez un error relacionado

[306] Aquí se ha utilizado su nombre tal como aparece en su certificado de nacimiento. Aunque parece que se le conocía mayormente como Luis.
[307] Certificado de defunción núm. 966.
[308] Ibid. Torres Echeandía nació en San Sebastián 11 de septiembre de 1918.
[309] Debido a lo poco legible, puede haber duda en la escritura de ese nombre.
[310] Ibid.

con un dato es posible, pero dos crea dudas y sospechas al respecto. Más cuando se trata de un certificado de defunción.

Si los nacionalistas fueron acorralados y obligados a rendirse a eso de la 12:00 de la noche del 30 de octubre de 1950 y luego de registrados y desarmados según se ha dicho, entonces, ¿de dónde salió la bala que provocó la herida y por ende la hemorragia interna que provocó la muerte del policía Rivera Cardona? Muerte certificada como resultado de una hemorragia interna debido a un tiroteo.

Además de los datos reseñados de su acta de defunción, se ha podido acceder a otros adicionales sobre su vida; entre ellos, que Juan Luis, nació el 27 de junio de 1913 en el pueblo de Arecibo en momento en que sus padres residían en el barrio Callejones de Lares.[311] Conforme con el censo de 1920, Juan Luis de siete años, era el hijo mayor de Pedro Rivera Adames y Joaquina Cardona Vega.[312] Estos residían con sus cuatro hijos/as en barrio Callejones de Lares; su padre Rivera Adames era un comerciantes al detal de pulperías.[313] El 18 de mayo de 1939, el agricultor Juan Luis y Buenaventura contrajeron matrimonio a

---

[311] "Puerto Rico, Registro Civil, 1805-2001," database with images, FamilySearch (https://www.familysearch.org/ark:/61903/1:1:QVJ4-KK8P : 30 December 2020), Juan Luis Rivera y Cardona, 27 Jun 1913; citing Lares, Puerto Rico, Estados Unidos de América, Puerto Rico Departamento de Salud and Iglesia Católica (Puerto Rico Department of Health and Catholic churches), Toa Alta.

[312] "United States Census, 1920", database with images, FamilySearch (https://www.familysearch.org/ark:/61903/1:1:X9WM-D2C : 4 February 2021), Luis Rivera Y Cardona in entry for Pedro Rivera Y Adames, 1920.

[313] "United States Census, 1920", database with images, FamilySearch (https://www.familysearch.org/ark:/61903/1:1:X9WM-D2C : 4 February 2021), Luis Rivera Y Cardona in entry for Pedro Rivera Y Adames, 1920.

través de la iglesia presbiteriana.[314] El año siguiente, de acuerdo con el censo de 1940, Juan Luis de 26 años y agricultor de frutos menores, reside con su esposa Buenaventura de 23 años en el barrio Callejones de Lares.[315] Buenaventura murió el 1 de febrero de 1991 en el pueblo de Arecibo.[316] Por ahora se desconoce si hubo descendientes de Juan Luis y Buenaventura.

---

314 "Puerto Rico, Registro Civil, 1805-2001", database with images, FamilySearch (ark:/61903/1:1:QVJH-9Q2H : Tue Apr 25 22:56:07 UTC 2023), Entry for Luis Rivera Cardona and Buenaventura Torres Echeandia, .

315 "United States Census, 1940," database with images, FamilySearch (https://www.familysearch.org/ark:/61903/1:1:KFJC-QZ6 : 20 May 2021), Luis Rivera Cardona, Barrio Callejones, Lares, Puerto Rico; citing enumeration district (ED) , sheet , line , family , Sixteenth Census of the United States, 1940, NARA digital publication T627. Records of the Bureau of the Census, 1790 - 2007, RG 29. Washington, D.C.: National Archives and Records Administration, 2012, roll .

316 "Puerto Rico, Registro Civil, 1805-2001," database with images, FamilySearch (https://www.familysearch.org/ark:/61903/1:1:QVJ3-LHQG : 30 December 2020), Buenaventura Torres Echeandía, 1 Feb 1991; citing Arecibo, Puerto Rico, Estados Unidos de América, Puerto Rico Departamento de Salud and Iglesia Católica (Puerto Rico Department of Health and Catholic churches), Toa Alta.

GOBIERNO DE PUERTO RICO
DEPARTAMENTO DE SALUD
NEGOCIADO DE REGISTRO DEMOGRAFICO Y ESTADISTICAS

Certificado de Defunción

Núm. Registro: 7 | Núm. Certificado: 966

Número Temporero: 152

1. Lugar de Defunción — a. Municipio: Utuado PR
b. Ciudad o Pueblo: Utuado — c. Tiempo de Estadía: 1 hora
d. Nombre Completo del Hospital o Institución: Hosp. Mpal Utuado — e. Tiempo de Estadía: 10 min
2. Residencia Habitual del Fallecido — a. Municipio: Lares PR
c. Ciudad: Rural Bo. Callejones
d. Dirección: Bo. Callejones
3. Nombre del Fallecido: Juan Rivera Cardona
4. Fecha de la Defunción: Oct 31-1950
5. Sexo: V — 6. Color o Raza: B
7. Soltero
8. Fecha del Nacimiento: 1912 — 9. Edad: 38
10a. Ocupación Usual: Policía — 10b. Clase de Negocio o Industria: Gob. Insular
11. Natural de: Lares PR
12. Ciudadanía: EUA
13. Nombre y Apellidos del Padre: Pedro Rivera
13a. Natural de: Lares PR
14. Nombre de Soltera de la Madre: Joaquina Cardona
14a. Natural de: Lares PR
15. ¿Perteneció el fallecido alguna vez a las Fuerzas Armadas de EE. UU.? No
17. Informante: Gregorio Rivera — Relación con Fallecido: Hermano

Certificación Médica
Debido a: Hemorragia interna
Debido a: Lesión arteria ilíaca
Debido a: Herida de Bala
II. Otras Condiciones de Importancia: Ninguno
19a. Fecha de la operación: No — 19b. Hallazgos: No
20. ¿Se practicó autopsia? Sí
21a. Accidente, Suicidio, Homicidio: Homicidio
21b. Lugar donde ocurrió la lesión: Calle — 21c. Municipio: Utuado P.R.
21d. Fecha y Hora: Oct 31-1950
21f. ¿Cómo ocurrió la lesión? Baleado en la calle

23a. Médico: W. Hofmayer
Dirección: Hosp. de Distrito
24a. Enterramiento — 24b. Fecha: Nov 3-1950
24c. Nombre del Cementerio: Mpal
24d. Localidad: Lares
Fecha de Registro: Oct 31-1950
Firma del Registrador: Miguel A. Hernández
Agencia Funeraria: Juan Luis Ruiz

Policía Juan Luis Rivera Cardona

El Dr. Federico José Maestre Carmona

Luego de leer todos los certificados de defunción que pude identificar vinculados a la Revolución Nacionalista de 1950 en Utuado y de ver que el Dr. Federico José Maestre Carmona certificó de 'accidentes' las muertes de 5 de 6 nacionalistas, asimismo la muerte del civil Álvarez De Jesús, y que certificó 8 de las 10 muertes que ocurrieron en ese pueblo, afloraron de inmediato muchas dudas y preguntas que motivaron investigar quién fue ese médico mediante las fuentes disponibles. Este nació en Utuado, el 9 de mayo de 1918.[317] Tiempo en que su padre, Federico Miguel Maestre Porrata, contaba con 37 años y 25 su mamá, Isabel Carmona Rivera.[318] Esta era de ocupación maestra, ambos domiciliados en la calle Betances número 47 de Utuado.[319] De acuerdo con el acta de nacimiento de Maestre Carmona, aparece en ésta de testigo Buenaventura Roig Cruz, alcalde de Utuado en ese momento (1917-1920).[320] El incluir a Roig Cruz como testigo en el acta de nacimiento de Carmona Maestre, podría tener una intención clasista.

Al censo de 1920, es un niño de un año y ocho meses, su madre es maestra insular y su padre, secretario de la corte municipal.[321]

---

[317] El acta de nacimiento no establece la ocupación de su papa, solo indica que era empleado. Ver "Puerto Rico, Registro Civil, 1805-2001," database with images, FamilySearch (https://www.familysearch.org/ark:/61903/1:1:QVJF-KV3R : 31 December 2020), Federico José Maestre y Carmona, 9 May 1918; citing Utuado, Puerto Rico, Estados Unidos de América, Puerto Rico Departamento de Salud and Iglesia Católica (Puerto Rico Department of Health and Catholic churches), Toa Alta.

[318] Ibid.

[319] Ibid.

[320] Ibid.

[321] https://www.familysearch.org/ark:/61903/3:1:33S7-

Diez años después, acorde con el censo de 1930, Maestre Carmona residía en la misma dirección y su padre, que llevaba su primer nombre Federico Maestre Porrata, continuaba como Secretario del Tribunal Municipal de Utuado.[322] De acuerdo con el censo de 1940, continuaba residiendo con sus padres, estaba soltero, contaba con 21 años, pero no se indica si estaba estudiando o ejerciendo alguna profesión.[323] Conforme con los datos encontrados en "familysearch.org", residió en Utuado sobre 40 años. La documentación consultada sugiere que desde su nacimiento en el 1918 hasta poco después de la Revolución Nacionalista de 1950, Maestre Carmona residió en Utuado. Consta en el censo de 1950, que Maestre Carmona residía con su padres en la calle progreso número 54, frente a la plaza de recreo de Utuado.[324] Por lo visto, era hijo único, contaba con 31 años, de ocupación médico en el hospital municipal y había hecho estudios posgraduados.[325] Su padre de 69 años y su madre de 58, aparecen en ese censo sin ocupación, con mucha probabilidad retirados de sus respectivos empleos públicos.[326]

---

[322]"United States Census, 1930," database with images, FamilySearch (https://www.familysearch.org/ark:/61903/1:1:V6ZB-HGN : accessed 9 May 2023), Federico Maestre Y Carmona in household of Federico Maestre Y Porrata, Utuado, Puerto Rico; citing enumeration district (ED) ED 2, sheet 7A, line 6, family 111, NARA microfilm publication T626 (Washington D.C.: National Archives and Records Administration, 2002), roll 2665; FHL microfilm 2,342,399.

[323] "United States Census, 1940", , FamilySearch (https://www.familysearch.org/ark:/61903/1:1:KFJM-QH1 : Tue Nov 28 18:04:29 UTC 2023), Entry for Federico M Maestre Y Porrata and Isabel Carmona De Maestre, 1940.

[324] "United States 1950 Census", database, FamilySearch (https://www.familysearch.org/ark:/61903/1:1:6F6H-TW3C : Sat Jul 29 02:42:24 UTC 2023), Entry for Federica Maestre Porrata and Isabel Carmona De Maestre, 10 April 1950.

[325] Ibid.

[326] Ibid.

Maestre Carmona a sus 32 años, contrajo matrimonio con Carmen E. Grau de 25 años el 27 de diciembre de 1950 en la iglesia San Antonio de Padua en Río Piedras.[327] Cuatro años más tarde, el 4 de junio de 1954, nació en Utuado su hija, Eileen Victoria, bautizada en la iglesia católica el 1 de agosto de ese año.[328] A partir del 29 de agosto de 1945, Maestre Carmona sirvió en el ejército de los Estados Unidos, alcanzando el rango de capitán durante la Segunda Guerra Mundial.[329] Maestre Carmona murió el 11 de mayo de 1988 en San Juan, Puerto Rico, a la edad de 70 años.[330] Sus restos mortales fueron enterrados en el Cementerio Nacional de Puerto Rico en Bayamón.[331] Por ahora, no se ha podido encontrar otros datos importantes sobre el Dr. Maestre Carmona, entre estos, dónde hizo estudios en medicina, de qué universidad se graduó y cuándo fue certificado de médico. Es posible que haya estudiado medicina en Estados Unidos o España o en cualquier otro país europeo que graduaba estudiantes en esta disciplina.

---

[327] "Puerto Rico, registros parroquiales, 1645-1969", database with images, FamilySearch (ark:/61903/1:1:6N6D-KHDJ : Sun Mar 19 01:12:46 UTC 2023), Entry for Andres Grau and Federico Maestre Carmona, 27 Dec 1950.
[328] "Puerto Rico, registros parroquiales, 1645-1969", database with images, FamilySearch (https://www.familysearch.org/ark:/61903/1:1:6DR2-1722 : 30 June 2023), Federico Maestre in entry for Eileen Victoria, agosto de 1954.
[329] Op. Cit., "Find a Grave" en https://www.findagrave.com/memorial/3234339/federico-jos%C3%A9-maestre_carmona
[330] "United States Social Security Death Index," database, FamilySearch (https://familysearch.org/ark:/61903/1:1:JB75-LMJ : 11 January 2021), Federico Maestre, 11 May 1988; citing U.S. Social Security Administration, Death Master File, database (Alexandria, Virginia: National Technical Information Service, ongoing).
[331] Opt. Cit., "Find Grave".

En 1950, se fundó la Escuela de Medicina de la Universidad de Puerto Rico en el edificio de la Escuela de Medicina Tropical.[332] La primera clase graduada de esta escuela es de 1954. Los que no lograban entrar a esa escuela tenían que buscar instituciones o escuelas que otorgara un doctorado en medicina. La primera escuela privada de medicina de Puerto Rico fue la Escuela de Medicina San Juan Bautista, fundada en el 1978, "como una institución sin fines de lucro dedicada a la educación médica con un enfoque comunitario y humanístico".[333]

Hasta el momento se ha podido constatar que, en el 1941, viajó en el barco San Jacinto a Nueva Jersey y se alojó en la residencia del Dr. F. B. Pons Tuckerton.[334] Tampoco se sabe, si ese viaje tuvo alguna relación con sus estudios. En la medida que se conozca quién fue el Dr. Maestre Carmona hay la posibilidad de entender su desempeño como médico en la Revolución Nacionalista de 1950 en Utuado. De tal manera, que se pueda responder a las dudas y preguntas que se tienen sobre su importante rol en esos acontecimientos. Aspecto importante, para

---

[332] "Develan la historia de la Escuela de Medicina de la UPR" en https://md.rcm.upr.edu/smg/2015/08/21/develan-la-historia-de-la-escuela-de-medicina-de-la-upr/

[333]Ashley Cianchini, "Escuelas de Medicina de Puerto Rico", January 11, 2021 Ashley Cianchini en https://cianchinimed.com/escuelas-de-medicina-de-puerto-rico/

[334] "New York, New York Passenger and Crew Lists, 1909, 1925-1957," database with images, FamilySearch (https://familysearch.org/ark:/61903/1:1:24LX-YDB : 2 March 2021), Federico J Maestre, 1941; citing Immigration, New York, New York, United States, NARA microfilm publication T715 (Washington, D.C.: National Archives and Records Administration, n.d.).

contribuir a reconstruir y explicar racionalmente en su conjunto la Revolución Nacionalista de 1950 en Utuado.

En los altos de este edificio se puede ver la residencia del presidente de la Junta Municipal Nacionalista de Utuado, Damián Torres Acevedo en donde se vieron obligados atrincherarse los nacionalistas luego de intentar quemar el correo postal.

Apéndice 1. **Orden de los caídos en la Revolución Nacionalista de 1950 en Utuado, conforme con sus respectivos certificados de defunción.**

	Nombre	Fecha	Hora y lugar	Causa inmediata de muerte	Accidente suicidio u homicidio[335]	Médico que certifica
1	David Ramos (Bombero)	30 oct. 1950	12:06 p.m. Hospital Municipal	Herida de bala en la cabeza	Homicidio	Dr. Domín-guez
2	Heriberto Castro Ríos (Nacionalista)	30 oct. 1950	3:00 p.m. Calle Dr. Cueto	Bullet Wound Chest (Herida de bala en el pecho)	Accidente	Dr. Maestre
3	Julio Colón Feliciano (Nacionalista)	31 oct. 1950	2:00 a.m. Calle Washington	Bullet Wound Chest (Herida de bala en el abdomen)	Accidente	Dr. Maestre
4	Jorge Antonio González González (Nacionalista)	31 oct. 1950	2:00 a.m. Calle Betances	Bullet Wound Chest (Herida de bala en el abdomen)	Accidente	Dr. Maestre
5	Antonio Ramos Rosario (Nacionalista)	31 oct. 1950	2:00 a.m. Calle Washington	Bullet Wound Chest (Herida de bala en el abdomen)	Homicidio	Dr. Maestre
6	José Rodríguez Alicea (Guardia Nacional)	31 oct. 1950	2:00 a.m. Calle Washington	Bullet Wound Chest (Herida de bala en el pecho) como consecuencia de un tiroteo	Homicidio	Dr. Maestre
7	Juan Luis Rivera Cardona (Policía Insular)	31 oct. 1950	Hospital Municipal	A causa de una hemorragia interna debido a una herida de bala	Homicidio	Dr. Axtmayer
8	Agustín Quiñones Mercado (Nacionalista)	1 nov. 1950	1:30 a.m. Clínica Carrasquillo	Shock (Impactado) Amputación traumática del muslo derecho	Accidente	Dr. Maestre
9	Carlos Irizarry Rivera (Nacionalista)	1 nov. 1950	1:30 a.m. Clínica San Miguel	Perforación pulmón Izquierdo debido a herida de bala	Accidente	Dr. Maestre
10	José Antonio Álvarez de Jesús (Civil)	9 nov. 1950	7:30 p.m. Clínica San Miguel	A causa de una peritonitis debido a un acceso en el abdomen producido por la perforación de bala perdida.[336]	Accidente	Dr. Maestre

[335] Si la muerte fue violeta el formulario del Departamento de Salud, requería al médico que preparó y firmó el certificado de defunción, indicar si esta fue un accidente suicidio u homicidio.

[336] Se acusó a los nacionalistas sobrevivientes de darle muerte, pero no se sostuvo en el tribunal, exonerándolos.

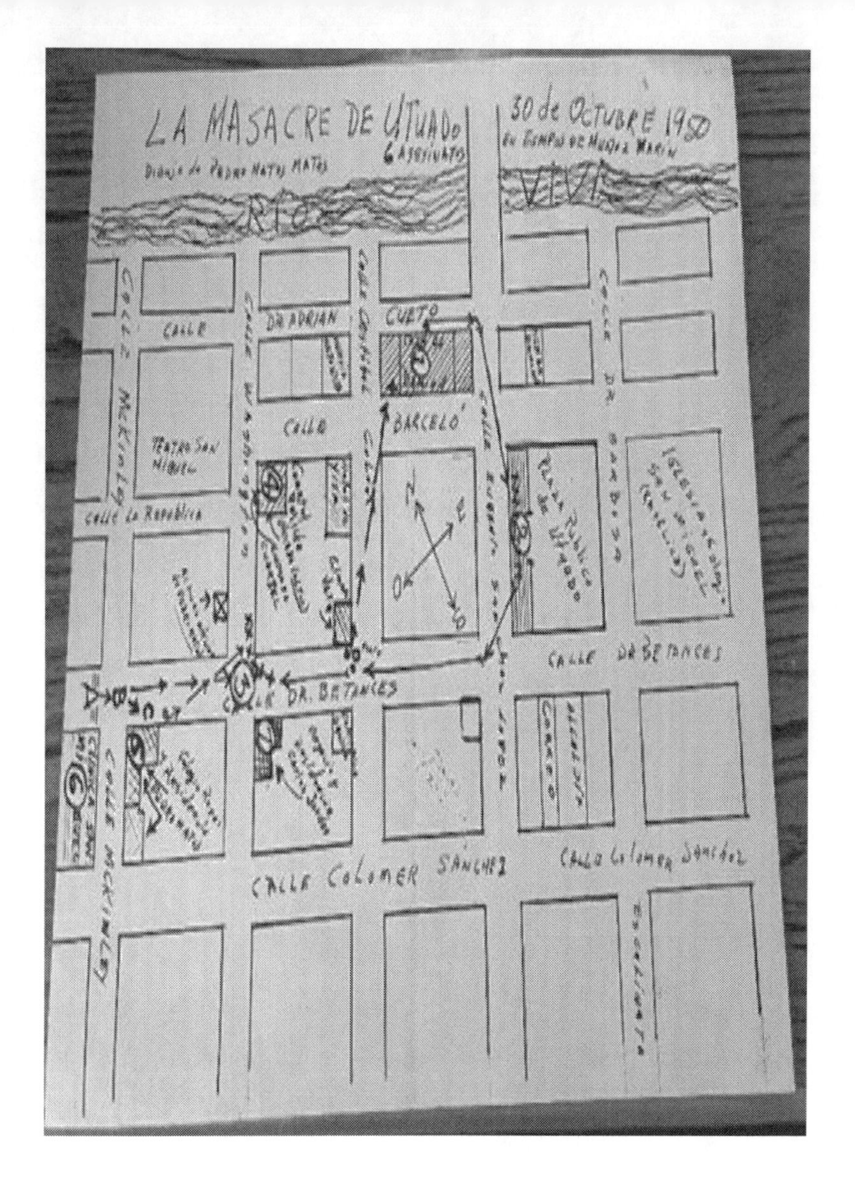

LA MASACRE DE UTUADO
30 de OCTUBRE 1950
Dibujo de Pedro Matos Matos
6 ASESINATOS
RIO
VIVI
CALLE
DR ADRIAN
CUETO
CALLE
BARCELÓ
TEATRO SAN MIGUEL
CALLE LA REPUBLICA
CALLE DR BETANCES
CALLE DR. BETANCES
CORREO
CALLE COLOMER SANCHEZ
Calle Colomer Sanchez

Apéndice 2. A quemarropa el asesinato del nacionalista Ángel Mario Martínez Ríos[337]

De acuerdo con su acta de nacimiento, Ángel Mario Martínez Ríos era de color blanco, nació a las seis de la tarde, el 24 de junio de 1914 en Utuado. Fueron sus padres Ignacio Martínez Matías, de profesión comerciante, con residencia en el barrio Caguana y Juana Ríos Rivera, de ocupación costurera, ambos naturales de Utuado.[338] Fue su abuelo paterno, el agricultor Jesús Martínez, natural de Arecibo.[339] Sus abuelos maternos Ramón Ríos y Marcelina Rivera, eran naturales de Utuado.[340] Esta última, residía con su hijo Ignacio, era viuda y de ocupación costurera.[341]

Consta en los datos del censo poblacional de 1920, que Ángel Mario era un niño de 5 años, residía con sus padres y hermanos en el barrio Caguana de Utuado.[342] Su padre Ignacio de 39 años, era en ese momento, empleado administrador de finca de café.[343] En el 1930, aproximadamente unos seis años antes de su asesinato, residía en el mismo barrio, contaba con 15 años, asistía

---

[337] Aquí se pretende hacer una breve biografía de Ángel Mario, respondiendo a la pregunta que me hicieron algunas personas al obsequiarle una de las ediciones previas del libro *Las montañas utuadeñas como guaridas solidarias con la liberación de cimarrones y cimarronas (1820-1871)*, de ¿quién es Ángel Mario Martínez?

[338] "Puerto Rico, Registro Civil, 1805-2001," database with images, FamilySearch (https://www.familysearch.org/ark:/61903/1:1:QVJX-HLF6 : 31 December 2020), Ángel Mario Martínez Ríos, 24 Jun 1914; citing Utuado, Puerto Rico, Estados Unidos de América, Puerto Rico Departamento de Salud and Iglesia Católica (Puerto Rico Department of Health and Catholic churches), Toa Alta.

[339] Ibid. No se menciona su abuela paterna.

[340] Ibid.

[341] Ibid.

[342] Ver Censo de 1920 en https://www.familysearch.org/

[343] Ibid.

a la escuela y contrario a sus padres, sabe inglés.[344] Lo que significa que cuando fue asesinado tenía 21 años, faltándole 4 meses y un día para los 22.

El asesinato de Ángel Mario en las inmediaciones del cafetín Osiris, se produjo el 23 de febrero de 1936, horas después del ajusticiamiento del coronel Elisha Francis Riggs y los asesinatos de los nacionalistas Hiram Rosado de Quebradillas[345] y el utuadeño Elías Beauchamp Beauchamp[346] que habían "sido arrestados y llevados al cuartel general de la policía, que entonces estaba localizado en la calle San Francisco esquina del Callejón de Gámbaro".[347] A base del certificado de defunción de Beauchamp, murió a la 1:30 y Ángel Mario a las 3:00 de tarde, una diferencia de una hora y media, entre los asesinatos de uno y otro.

---

[344] "United States Census, 1930," database with images, FamilySearch (https://www.familysearch.org/ark:/61903/1:1:V6ZB-5CD : accessed 7 January 2023), Mario Martinez Y Rios in household of Ignacio Martinez Y Matias, Caguana, Utuado, Puerto Rico; citing enumeration district (ED) ED 7, sheet 9A, line 3, family 1, NARA microfilm publication T626 (Washington D.C.: National Archives and Records Administration, 2002), roll 2665; FHL microfilm 2,342,399.

[345] De acuerdo con el certificado de defunción de Elías Beauchamp Beauchamp, murió a la 1:30 y Ángel Mario a las 3:00 de tarde, una diferencia de dos horas, entre la muerte de uno y otro.

[346] De acuerdo con el censo de 1930, Elías Beauchamp Beauchamp de 22 años, de ocupación comisionista de provisiones, soltero, era huésped en la residencia de Dolores Barbosa Guzmán y su esposa Aurora Oquendo en la calle Degetau en Bayamón. Es altamente probable que residiera aquí al momento de su asesinato. Ver sobre el particular "United States Census, 1930," database with images, FamilySearch (https://www.familysearch.org/ark:/61903/1:1:V6CC-647 : accessed 3 December 2022), Elías E Beauchamp in household of Dolores Barbosa y Guzmán, Bayamón, Puerto Rico; citing enumeration district (ED) ED 1, sheet 28A, line 38, family 7, NARA microfilm publication T626 (Washington D.C.: National Archives and Records Administration, 2002), roll 2642; FHL microfilm 2,342,376.

[347] Ver "Militancia Nacionalista" en José Torres Martinó, Voz de varios registros, Editorial Universidad de Puerto Rico y Casa Candina, 2006, 85.

En torno al asesinato de Ángel Mario, Glorimar Rodríguez González, en su libro sobre la *Historia del partido nacionalista en Utuado*, Editorial y Taller Abacoa, 2013, repite la versión de Fernando Picó en *Los gallos peleados*, Editorial Huracán, 1983. Ambos intentando reconstruir las circunstancias en que fue asesinado Ángel Mario y herido Pedro Crespo en Utuado, apoyan sus puntos de vistas, en las versiones de la policía, una de las partes implicada en los acontecimientos y la prensa de la época. Glorimar omite la extensa versión del nacionalista y artista plástico José Torres Martinó, que el día siguiente del asesinato de Ángel Mario, fue a visitar a Utuado por encomienda de Pedro Albizu Campos.[348] Rememora Torres Martinó al señalar "el mismo Pedro Crespo nos relató su versión del trágico episodio."[349] La muerte de Ángel Mario se produjo, cuando el domingo, 23 de febrero de 1936, al llegar a Utuado de Arecibo "después del medio día", al Crespo "detener el vehículo frente al café Osiris" y "cuando se disponían a apearse del carro, fueron interceptados por una patrulla de policías al mando del capitán Francisco Vélez". [350]

Añade Torres Martinó:

> Mientras sacaban de su asiento con violencia a Ángel Mario, Crespo quiso extraer de la cajuela un revólver, pero en vano, le cayeron encima a puros macanazos, al punto de que cayó

---

[348] En ese tiempo, Torres Martinó, "apenas tenía 20 años", cuando ese domingo en horas de la noche fue con otros amigos a visitar a Albizu en su residencia en el pueblo de Aguas Buenas, recibido por el caudillo a las doce de la noche y este le encomendó "visitar pueblos de la Isla, para poner al corriente a los nacionalistas de esos pueblos de inminencia de una agresión por parte del gobierno". Ver "La encomienda de Albizu" en Ibid., 89.

[349] Ibid.

[350] Ibid.

> al suelo sin sentido. Entretanto a Ángel Mario lo trajeron a plomo limpio al otro lado del automóvil a donde yacía Crespo. Abatido por las macanas, cayó sobre su amigo y lo cubrió con su cuerpo. Los guardias sacaron entonces sus revólveres y los descargaron sobre los dos hombres. Afortunadamente para Crespo ni una sola bala le alcanzó, pues su joven amigo le sirvió de escudo protector.[351]

De acuerdo con el certificado de defunción de Ángel Mario, murió a causa de una "hemorragia cerebral" por "varias heridas de balas a las 3 de la tarde, en la calle Betances de Utuado", según autenticara el médico J.M. Rodríguez Quiñones.[352] Además, indica que era soltero, de ocupación "chauffeur de automóviles" y natural de Utuado.[353] Se desprende de lo señalado por Torres Martinó, que Ángel Mario fue asesinado a quemarropa. Suscitando más preguntas que respuestas. Para entender el contexto de ese asesinato, no se debe perder de perspectiva que tres meses y varios días antes, el 24 de octubre de 1935, un grupo de jóvenes nacionalistas fue emboscado frente la Universidad de Puerto Rico en Río Piedras y los esbirros de la policía asesinaron a Ramón S. Pagán, Eduardo Rodríguez, Pedro Quiñones y José Santiago, cuatro jóvenes nacionalistas abatidos

---

[351] Ibid.

[352] "Puerto Rico, Registro Civil, 1805-2001," database with images, FamilySearch (https://www.familysearch.org/ark:/61903/1:1:QVJN-CGW3 : 30 December 2020), Ángel Mario Martínez Ríos, 23 Feb 1936; citing Utuado, Puerto Rico, Estados Unidos de América, Puerto Rico Departamento de Salud and Iglesia Católica (Puerto Rico Department of Health and Catholic churches), Toa Alta.

[353] Ibid. Obsérvese que el médico indica que la muerte ocurrió en la en la calle Betances. Al parecer Crespo se dirigió al café Osiris por la calle Betances y al intersecar con la Eugenio Sánchez López, se produjo la intervención policiaca. Recuerdo que para la década del 1970, la parada de carros públicos estaba en la calle Antonio R. Barceló, frente a la Farmacia Maestre y demás negocios aledaños. Es decir, se movió esa parada del frente del café Osiris donde estaba hasta el 1936 a la calle Barceló, más tarde se construirá el terminal de carros públicos Carmelo Martell.

en lo que se conoció como la Masacre de Río Piedras.[354] Menos de dos semanas después del asesinato de los jóvenes Rosado, Beauchamp y Ángel Mario, "el 4 de marzo de 1936 arrestan a todo el liderato nacionalista acusándolo de conspirar para derrocar el régimen y envían a Pedro Albizu Campos a prisión en EEUU".[355]

Tampoco se puede perder de perspectiva que cerca de un mes antes del asesinato de Ángel Mario, hubo un enfrentamiento entre nacionalistas y liberales frente al Café Osiris. Dice Picó:

> Según la policía una manifestación del Partido Liberal al finalizar las inscripciones del 27 de enero de 1936, dos nacionalistas, Pedro Méndez y Luis Cruz Pérez, trataron de arrebatarle una bandera puertorriqueña que lleva un liberal, y resultaron heridos dos nacionalistas, el jefe de la policía utuadeña, otro guardia y un testigo. La policía intervino; hubo una balacera al pasar frente al cafetín Osiris, se produjo un forcejo entre miembros de ambas agrupaciones políticas por la bandera de Puerto Rico.[356]

La bandera de Puerto Rico ha sido símbolo de la independencia de Puerto Rico, desde su creación en 1896 por la Sección de Puerto Rico del Partido Revolucionario Cubano en ciudad de Nueva York. Por puertorriqueños que luchaban en contra de los abusos del colonialismo español. Para los nacionalistas, los liberales eran colonialistas e indignos de usar la bandera de Puerto Rico en sus actividades públicas.[357] Esos eventos fueron presenciados por Ermelindo Santiago, ex alcalde de Utuado

---

[354] Michael González-Cruz, *Nacionalismo revolucionario puertorriqueño*, Academia.com, 21.

[355] Ibid.

[356] Picó, Fernando, *Los gallos peleados*, Editorial Huracán, 1983, 137.

[357] Desde su victoria en el 1904 el Partido Unión de Puerto Rico, dominó la escena política por los próximos veinte años. Para las elecciones de 1932, un sector disidente de ese partido se transformó en el Partido Liberal Puertorriqueño. Muchos de ellos, convergirán más tarde en Partido Popular Democrático, autores en el 1948 de la Ley de la mordaza, que prohibió enseñar la bandera de Puerto Rico, so pena de delito.

(1953-1968) por 16 años. Al rememorar esos acontecimientos dice don Ermelindo:

> En el 1936 hubo un tiroteo frente a un restaurante en la esquina de la plaza y ahí mataron a uno, y dejaron dos o tres graves. Había una parada del Partido Liberal y cuando ellos pasaron por ahí, se tiraron a quitarle la bandera puertorriqueña, los liberales la llevaban, y ahí se formó el lío y el tiroteo. Yo lo presencié, cuando yo vi eso, fue que me salí rápido del Partido Nacionalista.[358]

Picó, cita la versión de la policía que no hace referencia a muertes. Sin embargo, el alcalde Santiago menciona una muerte y "dos o tres graves". Ese restaurante a que hace referencia Santiago fue el mencionado Osiris. Descrito por Francisco Ramos Sánchez en su columna "Crónica de la Montaña" para el *Puerto Rico Ilustrado*, del 19 de mayo de 1928, titulada "Medio Día en Primavera".[359] Aquí nos ofrece una estampa del café Osiris, capta el panorama social que ofrecía su medio ambiente, observado desde adentro de ese cafetín, probablemente tomándose un café. Esto es un segmento de esa columna:

> Yo, en tanto me quedo en un café, cuyo nombre es un símbolo mitológico: Es el Osiris, el mejor de nuestros colmados, propio para una ciudad de más auge.
>
> Hay aquí algunos tipos que ofrecen interesantes apuntes psicológicos. En una y otra mesa husmean perezosamente varios jóvenes enjergados. Conversan. Es otra lluvia espantosa la que

---

[358] Entrevista a don Ermelindo Santiago, domingo, 25 de junio de 2006. Mi amigo Pedro Negrón Cruz (Pedrín) tuvo la amabilidad de coordinar esa entrevista. Don Ermelindo había perdido su vista, pero eso no fue óbice para atenderme con amabilidad y contestar todas mis preguntas. Sin embargo, lo dicho por él en la cita anterior, alega el ex maestro y abogado hoy retirado Luis Alberto Torres Rodríguez, *hay que tomarlo con singular cautela. Fue un desertor del Partido Nacionalista y toda su vida se pasó intentando justificar esa deserción. Incidentes de esa naturaleza hubo en varios pueblos, de acuerdo con información que he recibido a lo largo de mi militancia independentista.* Conversación con Torres Rodríguez, 24 de agosto de 2014 en su oficina en Utuado.

[359] "Medio Día en Primavera", Crónica de la Montaña, *Puerto Rico Ilustrado*, 19 de mayo de 1928.

> vierten labios afuera estos chicos. Cursilerías, nimiedades, rechiflas que sólo el chaparrón que se desploma nos hace tolerar. Alguno que otro injerta sus chascarrillos más o menos graciosos a la conversación, y surge, lógicamente, una risa espontánea que tamborilea al compás de la música unir rítmica de la lluvia cuyo diapasón aumenta a cada instante.
>
> Más allá, es un viejo de cabeza blanca y de sendas barbas. Fuma un "habanero" de elaboración criolla y mira hacia fuera abstraído en la lluvia incesante que cae y salpica el acanto de la acera. No es un viejo torpe. Le he conocido anteriormente y sé que a falta de erudición magulla ciertas originalidades que coinciden con algunos viejos catecismos de filosofía. Pero hoy está mudo, fumando opíparamente. Yo lo miro. Intento turbar su reposo: más me contengo ante el magnífico ambiente que me ofrecen unos limpiabotas que hablan desde la acera, frente a nosotros. Esta charla ingenua de los que viven sin aliciente alguno en la vida me interesa. Oyéndolos no sabe uno qué apreciar más, si la factura barata de sus frases reñidas con la más elemental cultura, o si el dolor de pensarnos hasta cierto punto responsables del estado ignominioso en que medran estos adolescentes que no conocen más altar que el mísero cajón con el cual centavean, ni más placer en la vida que hundirse en los abismos de los vicios que afeitan el poco pudor que su condición de humanos les ha hecho retener.[360]

Acorde con Fernando Picó, el 28 de febrero de 1937, los nacionalistas utuadeños conmemoraron el primer aniversario del asesinato de Ángel Mario con una misa: "entraron en formación a la iglesia y luego salieron hacia el cementerio..." Añade: "al parecer, la concurrencia al acto fue nutrida, pues hubo una llamada por teléfono del Cuartel General en San Juan preguntando qué había ocurrido hoy en Utuado".[361] Rememorar su muerte y más tarde la de los asesinados en Utuado durante la frustrada Revolución Nacionalista de 1950, se convirtió en una tradición por muchos años. Se conoce que el 23 de febrero 1948, la Junta Municipal Nacionalista de Utuado, llevó ofrendas

---

[360] Ibid. Dice Luis Alberto Torres sobre este famoso cafetín: *Osiris. Popular café situado en la esquina oeste de la plaza utuadeña, que existió hasta la década de 1950 (si mal no recordamos).*

[361] Picó, Fernando, *Los gallos peleados*, Editorial Huracán, 1983, 140.

florales a la tumba de Ángel Mario Martínez y en la noche se efectuó un mitin en la plaza pública en el cual hizo uso de la palabra Pedro Albizu Campos. Estas actividades fueron reseñadas por el periódico *El centinela* del sábado, 28 de febrero de 1948, que dirigiera don Francisco Ramos hasta su muerte en el 1950.

> ACTO NACIONALISTA
> Bajo los auspicios de la Junta Nacionalista de Utuado, el 23 de febrero llevándose a cabo varios actos de afirmación nacionalista en esta localidad. Luego de una misa de réquiem, una __________ _________llevó ofrendas florales a la tumba del ___________ Ángel Mario Martínez. Este acto resultó solemne e importante. Por la noche se llevó a cabo un mitin en la plaza pública en el cual hizo uso de la palabra el líder máximo del Nacionalismo Puertorriqueño, Dr. Pedro Albizu Campos quien expuso argumentos doctrinales a favor de la causa que defiende.[362]

Otro momento en que se recordará la muerte de Ángel Mario, es el discurso que pronunciara Albizu Campos, el 23 de febrero de 1950, que se incluye al final de este trabajo. La imagen abajo, preparada por la Unidad de Inteligencia de la Policía al abogado retirado Luis Alberto Torres Rodríguez, ofrece una idea de la concurrencia en 1967, al llamado cementerio viejo, ubicado en el sector El Guano, hoy conocido como Monte Calvario, a depositar una ofrenda floral en el mausoleo de los nacionalistas en Utuado.[363]

---

[362] Periódico *El centinela*, sábado, 28 de febrero de 1948.

[363] La imagen es una fotografía de la extensa carpeta número 3534, preparada por la Unidad de Inteligencia de la policía al exmaestro y abogado utuadeño Luis Alberto Torres Rodríguez. .

OFICINA INTELIGENCIA
OI - 5 - 44

CONFIDENCIAL
UIAN/CMN/jmm-295 1ro. de noviembre 67

Memorandum A : Jefe, Oficina de Inteligencia
Capt. Leandro Sanabria 5-2482 (Fdo.)
Comandante Area Norte Interino

De : Sgto. Carlos M. Nieves 8-1794 (Fdo.)
Jefe Unidad Inteligencia, A. N.

Asunto : Visitas de Nacionalistas al Cementerio de Utuado

Información suministrada por el Agente Pedro L. Mondecit Núm. 4714 revela que el día 30 de octubre de 1967, hora 2:00 P.M. un grupo de alrededor 34 personas de índole separatista visitaron el Cementerio Municipal Viejo de Utuado y depositaron una ofrenda floral en las tumbas de los Nacionalistas caídos en la revuelta del 1950.

De acuerdo con información suministrada por el celador de dicho cementerio al mismo asistieron alrededor de 17 estudiantes de las escuelas de Utuado y entre otros estaban los siguientes:

1- Juanita Ojeda 3083
2- Pedro Matos Matos 776
3- Luis A. Torres 25402
4- Johnny Ríos 32039

A las 2:30 P.M. se dirigieron hacia el pueblo de Jayuya.

Transcrito en 12 dic 67

OK. 11-3-67 Con. Especialistas, Tnte. Rafael Alvarez

DISTRIBUCION

(1) Partido Nacionalista (4-2)
(4) Con carpetas

EXAMINADO
ABRAHAN DIAZ GONZALEZ
ANGEL MANUEL MARTIN
COMISIONADOS

Tnte. José Nevárez Aguedo 6-2600

U00113

A tenor con la imagen anterior, en los actos conmemorativos de 1967, estuvieron presentes: además de Torres Rodríguez, Juanita Ojeda, Pedro Matos Matos y Johnny Ríos, acompañados con "un grupo de alrededor de 34 personas" y "alrededor de 17 estudiantes de las escuelas de Utuado".[364] Acorde con el recuerdo de Torres Rodríguez, se estuvo depositando una ofrenda floral en la sepultura de Ángel Mario y demás nacionalistas asesinados en Utuado, durante la Revolución Nacionalista de 1950, hasta la década de 1980. ¿Por qué no se siguió con esa tradición? Tal vez

[364] Ibid.

una investigación al respecto apuntaría a la crisis del Partido Nacionalista a partir de la muerte de Albizu Campos. Su muerte, tampoco detuvo la represión al independentismo. Ejemplo de ello, fue el gran carpeteo político que develó el fenecido exrepresentante licenciado David Noriega a raíz del caso judicial llevado al Tribunal Supremo de Puerto Rico, Noriega Rodríguez v. Hernández Colón, 122 D.P.R. 650 (1988), la práctica del carpeteo fue finalmente declarada inconstitucional y se dispuso la entrega de los documentos a las personas perjudicadas.[365] ¿Cuántos nacionalistas se vieron obligados a emigrar interna o externamente o fueron a parar a otros partidos, para evitar el continuo acoso e intolerancia política? Son algunos factores que podrían contribuir a explicar la crisis del Partido Nacionalista y del independentismo en general.

A modo de conclusión, las fuentes consultadas apuntan, a que una vez la policía en Utuado, se enteró del ajusticiamiento del coronel Riggs a manos de Beauchamp y Rosado, molestos, rabiosos y endemoniados con los nacionalistas, en venganza planearon y justificaron la intervención a los dos jóvenes y sin ninguna sensibilidad, asesinaron de varios tiros a quemarropa a Ángel Mario Martínez Ríos e hirieron a Pedro Crespo. Por lo visto, esos jóvenes nacionalistas estaban en sus mirillas, vigilados y satanizados desde mucho antes. Luego el estado se encargó de demonizarlos y justificar el asesinato y la golpiza, promoviendo un discurso de odio al independentismo ante la opinión pública, como se hizo más tarde, con otros nacionalistas revolucionarios

[365] "Las carpetas: Persecución política en Puerto Rico: Inicio" en https://uprrp.libguides.com/carpetaspoliticas

en las subsiguientes décadas con mayor visibilidad a partir de la década de 1950. Se tildaran a los nacionalistas de separatistas peligrosos, bandoleros y malagradecidos que pretendían obstaculizar el progreso, la modernización y la democracia puertorriqueña. Al igual a como se hizo con los rebelde indígenas y cimarrones/as que lucharon con todos los medios a su alcance por su libertad. De igual manera, se pretenderá justificar la persecución y represión, desvirtuando la lucha antimperialista que caracterizó al nacionalismo revolucionario bajo la dirección de Pedro Albizu Campos. Tratando de impedir la enseñanza de la historia de Puerto Rico, en particular la del siglo XX. De igual modo, invisibilizar el nacionalismo puertorriqueño en el currículo escolar público a todos sus niveles, incluyendo el universitario, de tal manera que hay egresados de la universidad del estado, que en sus currículos académicos, no se les requirió ni tan siquiera un curso de historia de Puerto Rico y menos de literatura puertorriqueña.

A continuación el discurso que pronunciara Pedro Albizu Campos, el 23 de febrero de 1950, en Utuado, cuando se conmemoró del décimo cuarto aniversario de la muerte de Ángel Mario Martínez Ríos, según fue transcrito por el detective-taquígrafo, Carmelo Gloró.[366] Se debe aclarar que en una conversación con Torres Rodríguez en la Égida Miraflores a unos días de la publicación de la primera edición de este libro en marzo de 2024, me indicó que ese discurso él lo escuchó en la Plaza Pública Luis Muñoz Rivera de Utuado, cuando era muy

[366] Archivo General de Puerto Rico, Fondo: Departamento de Justicia, Serie: Documentos Nacionalistas, Caja 1, Tarea: 90-29.

joven. En relación con las referencias de Albizu Campos a la B. C. G. me indicó que el detective-taquígrafo anterior, obvió partes fundamentales de ese discurso. Algunas de ellas en que Albizu Campos, resalta la importancia de alimentarse bien como prevención de la tuberculosis y con ello aumentar las defesas contra contagios de esta enfermedad y de otras que habían en la Isla para ese entonces. Además de utilizar a los puertorriqueños como conejillo de indias para ensayar con el B. C. G. Esta es *una vacuna contra la enfermedad de tuberculosis (TB). Esta vacuna no es de uso frecuente en los Estados Unidos, pero a menudo se administra a los bebés y niños pequeños en los países donde la tuberculosis es común.*[367]

[367] "Vacuna contra la tuberculosis (BCG)" en https://www.cdc.gov/tb/esp/topic/basics/vaccines.htm

DISCURSO PRONUNCIADO POR PEDRO ALBIZU CAMPOS EN UTUADO, PUERTO RICO, EL DIA 23 DE FEBRERO DE 1950

Sr. Presidente de la Junta Municipal de Utuado, amados compatriotas: En el desarrollo de la personalidad individual invocamos el poder secreto que nos permita descubrirnos...... ese secreto es nada menos que la humildad.

Se busca en las grandes figuras de la historia el secreto de su poder, de su heroísmo, de su sacrificio, el secreto de su sabiduría.. Para quien la muerte no exista, es la hora de la humildad, es la hora de desafiar todas las fuerzas terrenales, Se levanta el heroismo con una sonrisa que es el amanecer de gloria. La hora triste del hombre es la hora de la vanidad. Cuando el hombre como individuo, para atraer a sus semejantes, necesita apelar a la fuerza bruta, está perdido. Habrá siempre quien desafíe la fuerza bruta en el campo individual y en la lucha internacional.

Conmemoramos hoy una tragedia que se dobló en dos partes: una en San Juan y otra en este pueblo querido de todos nosotros. ¿A que obedece esa tragedia? Es el imperio de Estados Unidos que quiere imponerse sobre nosotros.....los Yanquis ante nosotros no valen nada, absolutamente nada y no nos preocupa su fuerza aerea, sus ejércitos, ni su Marina, ni su patada de bestia y los desafiamos en esta tierra porque esta tierra es un templo de Dios y una tierra de los puertorriqueños........ Los imperios se imponen solamente por la fuerza bruta. El hombre sano y la mujer santa no necesita de esas fuerzas.

Yo no sé cuantos de vosotros habeis tenido el privilegio de haber conocido a Angel Mario Martínez, Elías Beauchamp e Hiram Rosado.......estas tres figuras se levantan juntas.....

Se es hombre o mujer cuando se defiende la dignidad de hombre o mujer con la vida......merece llamarse puertorriqueño aquel que se juega la vida por la independencia de Puerto Rico. Los demás no valen nada. Son parásitos...... Estos tres jóvenes son los maestros no solamente de la juventud si no de los viejos.

El que venga aquí a inyectarle a esta niña B. C. G., sea lo que sea - ¿Con qué derecho? ¿Quien manda aquí a disponer de la existencia de esta niña? ¿Con qué derecho?..... El portavoz de los Estados Unidos en las Naciones Unidas confiesa que Estados Unidos está haciendo un experimento en Puerto Rico......... Aquí, quiero que sepais hay más de 3,000 niños aquí en Puerto Rico de padres Yanquis y ninguno de los padres Yanquis consiente que esa vacuna se le ponga a sus hijos. ¿Por qué? .... Para los rusos sus hijos son sagrados y los médicos de Rusia no van a cometer el crimen de matar a la rusia del futuro.... Los alemanes hacen lo mismo......... Si los Yanquis vieran algo de bueno en esa vacuna ya se la hubieran puesto a Truman, ya lo hubieran vacunado más de diez veces. El sabe, no se mete ese veneno.

Me dicen que aquí en Utuado el agua la tienen con cuentagotas. Uds. se tienen que bañar con cuentagotas porque el agua está carísima.

Uds. tienen café y no se lo entregan al gobierno: Si Uds. no firman un pliego jurado diciendo que tienen 10 libras de café en su casa, es reo de la justicia. Amigos, ¡que populares están Uds.! ......¡que popularidad! ....después que le dieron el cafeito con azúcar, ese títere les dice ahora que el café no sirve. Ese coco de café que Uds. le dieron no sirve y que lo más económico es que Uds. no tomen café. Dice que el café no sirve, que no es alimento.........no tiene verguenza...........

Pero ese no es todo: Habeis notado que todos los grandes cocorocos de Yanquilandia se han venido a Puerto Rico; el Almirante tal, el Secretario de Estado-cual. Aquí estuvo el

Jefe de Estados Unidos en las Naciones Unidas y esa gente, ¿donde se hospeda? En la Fortaleza, no se hospedan en ningún hotel a pesar de que Estados Unidos le paga dietas. Andan con ella metida en los bolsillos...........

Poca gente de Utuado puede comprar una libra de bacalao de un golpe, ni una libra de arroz de un golpe.....¿quien en Utuado, de vez en cuando puede comprar un cantito de tocino, muy pocos. El comercio les vá a arrancar (centavos- no se oyó la cantidad) para entregarlos al colector de Rentas Internas que se presenta con un recibo muy bonito a cobrar y si no paga, le cierran las tiendas..............

Yo le tenía miedo a los tasadores, pero estos científicos me dan terror.

Este pueblo, éste fué el pueblo donde se forjó la civilización del Pueblo de Puerto Rico. En esa Iglesia, en esta plaza, es bueno que lo sepan, que no se puede derrotar en un día, En este sitio sagrado, nada de lo que tiene esta plaza tiene semblanza de debilidad..............

El niño que sobrevive, cuando es hermoso y fuerte - aquí se levanta en Utuado una Junta utuadeña para decirle: - su hijo tiene que ir a morir en un campo de batalla..........policías que se levantan como verdugos para asesinar a Elías Beauchamp y Rosado.........jueces que condenan al destierro, a los presidios de Estados Unidos a la juventud puertorriqueña que se levanta con dignidad............Aquí viene un Tribunal ahora de Boston. Boston está en jurutungo, nadie quiere saber donde queda ese pueblo y viene un tribunalque dispone de la vida de cada uno de vosotros, de la libertad de cada uno de vosotros, de la propiedad de cada uno de vosotros; a disponer así porque sí en amparo de las leyes de Estados Unidos............

Aquí viene el General Jefe del Servicio Obligatorio de Estados Unidos, banqueteado en Fortaleza; aquí viene el Sub-Secretario de Estado, de Estados Unidos, banqueteado en Fortaleza......... A nosotros nos interesa saber cuanto cuesta un banquetito de esos......$10,000 es el banquetito más módico. Toman Champán francés, porque el champan Yanqui no sirve.... cuestan a $10.00 el litro.... y, esa gente bebe y eso lo sacan de las costillas de los utuadeños. Con $10,000 dan para comer 5,000 familias en Utuado y comiendo malo 10,000 familias en un día y comiendo bueno 2,500 familias y estirando la suma, 10,000 familias. Ni Muñoz Marín, ni los que lo sustituyen, piensan en esas cosas..........Dice Muñoz Marín, no tomen café.... Cada señora de un Jefe que vá a un banquete lleva $10,000 en joyas,........¿Cuantos Utuadeños pueden comprar un periódico de 5¢, pues son muy pocos. ¿Quereis verdugos?, sigan votando vayan a las elecciones. Los Populares van a operar pues nada, el lago ese para ahogar a todos Uds..........ya que ahogaron a toda la tierra, lo único que falta es que los tiren allí...... ¿Cuantos de Uds. saben nadar? ¿Cuantos de Uds. saben subir a una palma de cocos? ¿A una palma de Yagua? Ninguno, pues no tienen fuerza. Se marean nada más que con la idea de subirse.......Nadie está obligado a pagar contribuciones. Nadie está obligado a afilar el machete que le corte el pescuezo. Hay que parar esto.

En este pueblo lo que hay es hambre, hambre y todo médico que diga que este patentizado cura esa enfermedad, es un charlatán. La mejor medicina es la buena alimentación, la buena cama, que no haya hambre en ese hogar. Que hombre puede estar tranquilo cuando no tiene que comer; cuando no tiene un biberón para dárselo a su hijo....tiene que levantarse con su machete para ganarse su vida........

La Colecturía esa,....ahí hay unos cuantos tinteros que se pueden levantar en la cabeza de cualquiera que venga a re-

Lo que se necesita es el valor de Angel Mario Martinez, Elías Beauchamp, Hiram Rosado que desafiaron un imperio..... Al que le falta el valor, le falta todo. Si le dicen: dame acá esos chavos, le dá los chavos, si le deicen dáme acá tu mujer, le dá su mujer.

La mujer es la depositaria de nuestra existencia como madre.....ese honor no puede ser mancillado ni con el pensamiento. Las mujeres tienen que erguirse a su marido; el machete, el palo y la pistola para que difiendan el honor de su patria. Tienen que ser como Mariana Bracetti, que estando encinta fué presa.....Cuando la mujer se dé cuenta de que ella es la patria, de que cuando hay un caso de honor, en la casa hay un hombre tullido y ese hombre no se levanta para defender ese honor tiene que ponerlo en la calle hasta tanto él no resuelva ese asunto del honor. El poder de la salvación de una patria está en sus mujeres. Si la mujer es débil, todos somos débiles...........

¿Porqué esas prominencias vienen a Puerto Rico? Por qué? Porque esto vale mucho, muy bello, muy rico. Pues están anunciando unas maniobras, las maniobras más grandes en tiempos de paz. El imperio Yanqui viene hacer aquí todas sus maniobras, con todas sus flotas....... Esto vale muchísimo. Todo el mundo tiene gravada su mirada en Puerto Rico. Yo le dije a los Yanquis en el 1921 que aquí se iba a resolver su destino.......

Los Yanquis no tienen derecho a ser los amos del pueblo de Puerto Rico. Todo el que quiera jugar ese papel, es reo de la justicia del Pueblo de Puerto Rico. No se necesita mas que el valor y la dignidad. Ni el dinero, ni las armas. Aquí hay armas en el Cuartel de la Policía. Tomad esas armas son suyas, compradas con el 1/2¢ y 1/4¢ que les quitan. También las de la Guardia Nacional, todas esas armas son nuestras. Todo lo que se necesita es valor. Un pueblo lleno de valor y lleno de dignidad, no hay imperio que pueda.......(hubo una interrupción en los altoparlantes y no se oyó el final de esta oración).........El que no quiera morir, tiene que esconderse. No hay que buscar la salvación ni en las armas, ni en el dinero,........Quereis ser libres, hay que pelearlo, sí.

Aquí vendrán otra vez a deciros que vayan a la Junta a jurar que sois ciudadanos americanos, nacidos en Utuado. 'Yo soy americano' para poderse inscribir. Tienen que jurar que no son puertorriqueños para poderse inscribir para votar. Cuando quiere ser Alcalde de Utuado, tiene que volver a jurar......En vez de decir 'yo soy un jíbaro de Utuado'.

Cuando venga uno y les diga: 'yo soy una autoridad federal' - pues váyase al infierno......(aquí hubo una interrupción en los altoparlantes y no se escuchó el resto del párrafo).

Nosotros no venimos aquí a rendir culto a los muertos, aquí nosotros venimos a rendir culto a los inmortales de nuestra tierra, a las iluminarias de nuestra patria........

Los politicastros van a venir otra vez aquí para que Uds. voten....sigan votando. Este pueblo tiene que hacer la solución heróica que le permita sobrevivir.....Todo el que diga lo contrario, miente....Vienen industrias de Estados Unidos, si le dan 12 años sin pagar contribuciones....Un gobierno que construye fábricas, que construye fábricas para los grandes capitalistas de Estados Unidos. El Gobierno de Puerto Rico coge ocho millones de dólares que darían para atender bien a la población de Utuado por un año y le dicen a Hilton: aquí tienen ese dinero......es una industria nueva, lo dice Muñoz Marín.... y gastan toda la reserva de este pueblo. Es un idiota, ¿quien

lo defiende? ¿Qué interés tiene en el bienestar de este pueblo?

CERTIFICACION: Yo, Carmelo Gloró, Detectivo-Taquígrafo de la Policía Insular, CERTIFICO:

Que la presente es una transcripción fiel y exacta de las notas taquigráficas tomadas por mí del discurso pronunciado por Pedro Albizu Campos en Utuado, Puerto Rico, el diá 23 de febrero de 1950.

CARMELO GLORO
Detectivo-Taquigrafo

Forma No. 1.

Folio 578

ACTA DE NACIMIENTO.

Número 998

Angel María Martínez Ríos

NOTAS MARGINALES.

En Utuado, P. R. el doce de Agosto de mil novecientos catorce, siendo las nueve de la mañana, en virtud de la declaración á mí presentada por Ignacio Martínez, mayor de edad, de estado casado, de profesión comerciante, natural de Utuado, avecindado en la casa número ___ de la calle de ___ barrio de Caguana, término municipal de Utuado, yo, Moisés Jordán Pérez, Encargado del Registro Civil, procedo á extender esta acta de nacimiento haciendo constar:

1.—Que á las seis de la tarde del día veinte y cuatro de Junio de mil novecientos catorce, nació un niño de color blanco, al que se le puso por nombre Angel María.

2.—Que dicho niño es hijo legítimo del declarante y de [illegible] Ríos [illegible], natural de Utuado, costurera, avecindada en el del declarante.

3.—Que los abuelos paternos son José Martínez, natural de Arecibo, y [illegible], avecindados en el referido Arecibo; y maternos [illegible] Ríos y [illegible] Rivera, naturales de Utuado, fallecido el primero, la segunda costurera, avecindada en el del declarante.

4.—Que

5.—Que el expresado Ignacio Martínez hizo la predicha declaración en su carácter de padre del referido niño.

Fueron testigos de este acto Pedro Lassalle, mayor de edad, de estado casado, de profesión empleado, natural de [illegible] y avecindado en la calle [illegible] de Utuado, casa número ___ y Antonio [illegible], de estado casado, de profesión empleado, y avecindado en la calle [illegible] de Utuado, casa número ___, y habiendo leído lo preinserto á los que en él figuran, dichos testigos declaran constarles su certeza y todos lo aprueban y ratifican, y firman los que supieron, haciéndolo por los que no, aquellos á quienes rogaron lo hicieran, de todo lo que yo el Encargado del Registro Civil, certifico.

Ignacio Martínez
Firma del Declarante.

Pedro Lassalle
Firma de un Testigo.

Antonio [illegible]
Firma de un Testigo.

Moisés Jordán
Encargado del Registro Civil.

No. 93

Para el Enc. del Registro

1. LUGAR DE LA DEFUNCION — DISTRITO No. 71

MUNICIPIO DE Utuado

ZONA URBANA: Calle o Barriada Betances No.

ZONA RURAL: Barrio

(Si la defunción ocurrió en un hospital o institución, dése el NOMBRE de éste o éste en lugar de la calle y número o barrio rural.)

No. (No escriba en este espacio)

GOBIERNO DE PUERTO RICO

DEPARTAMENTO DE SANIDAD

Negociado de Epidemiología y Estadística Demográfica

CERTIFICADO DE DEFUNCIÓN

2. NOMBRE Y APELLIDOS DEL FALLECIDO Angel Mario Martínez Rive

3. RESIDENTE EN LA CALLE No. O EN EL BARRIO Caguana

(Sitio donde residía permanentemente; si no era residente del municipio, dése el nombre del sitio en que residía en o fuera de Puerto Rico.)

4. TIEMPO DE RESIDENCIA EN EL MUNICIPIO DONDE OCURRIO LA DEFUNCION 22 AÑOS " MESES " DIAS

5. SI ES EXTRANJERO, TIEMPO DE RESIDENCIA EN PUERTO RICO " AÑOS " MESES

DATOS PERSONALES Y ESTADISTICOS

6. Sexo V
7. Color o raza B
8. Solter.º, Casad.", Viud.", Divorciad."

8a. Espos... de; Viud... de; divorciad... de -

9. Nacido en (día, mes y año) 1914

10. Edad Años 22 | Meses | Días | Si menor de 1 día ....horas ....minutos

OCUPACION

11. Oficio, profesión u ocupación Chauffeur

12. Industria o negocio en que trabajaba Automobiles

13. Fecha en que trabajó por última vez en esta ocupación (mes y año) 936

14. Años que trabajó en esta ocupación 3

15. Natural de Utuado, P.R.

15A. Hijo Legítimo (Legítimo, natural, reconocido.)

PADRE

16. Nombre Ignacio Martínez Matías

17. Natural de Arecibo, P.R.

MADRE

18. Nombre Juana Rive Rivera

19. Natural de Utuado, P.R.

20. Esta información es correcta, de acuerdo con mi leal saber y entender

Ignacio Martínez Matías

Informante

Dirección Utuado, P.R.

21. (Cementerio) donde fué enterrado) o (sitio donde se trasladó) el cadáver Utuado

Fecha de la (inhumación) o (traslado) Febrero 24/936

22. Agente funerario o encargado del enterramiento Ignacio Martínez Matías

Dirección Utuado, P.R.

23. Inscrito hoy (día, mes y año) Febrero 24/36

Guillermo Rodríguez

Encargado del Registro

CERTIFICACION MEDICA

24. Fecha de la defunción Febrero 23 — 1936

25. CERTIFICO: Que no asistí al fallecido desde ...... 193... hasta ...... 193...; que le vi vivo por última vez en ...... 193..., y que según mi leal saber y entender la muerte ocurrió en la fecha expresada a las 9 P. M.

LA PRINCIPAL CAUSA DE MUERTE* y otras causas de importancia relacionadas con la misma, fueron las siguientes:

	DURACION Años	Meses	Días
Hemorragia Cerebral			
Varias Heridas de bala			
OTRAS CAUSAS importantes que contribuyeron a la muerte:			

26. Sitio donde la enfermedad fué contraída

27. Nombre y fecha de la operación quirúrgica, si la hubo

Motivo que la requirió

28. ¿Qué análisis de laboratorio confirmó el diagnóstico?

29. ¿Se verificó autopsia?

30. Si es una muerte violenta, dése la siguiente información;

¿Accidente, Suicidio, Homicidio? Homicidio

(Escriba la palabra que corresponda)

Fecha en que ocurrió Febrero 23 1936

¿Dónde ocurrió? En la calle

(Especifíquese el sitio exacto y también si dicho accidente, suicidio u homicidio ocurrió en el trabajo, en la casa, o en un sitio público.)

Especifíquese cómo se produjo la lesión, o el arma, instrumento, máquina u objeto que la causó.

Recibió varias heridas de bala

31. ¿Hubo alguna relación entre la ocupación del fallecido y la causa de muerte? ...... Si es así, informe cuál

J. M. Rodríguez Quiñones, M. D.

Fecha Febrero 24 — 1936

Dirección Utuado, P.R.

PERMISO DE (ENTERRAMIENTO) (TRASLADO) EXPEDIDO EN Febrero 24, 1936, POR G. Rodríguez

Apéndice 3. Certificados de defunción de los caídos en Utuado durante Revolución Nacionalista de 1950

No. 264
[Para el Encargado del Registro]

GOBIERNO DE PUERTO RICO
DEPARTAMENTO DE SALUD
NEGOCIADO DE REGISTRO Y ESTADISTICA DEMOGRAFICA

CERTIFICADO DE DEFUNCION

DISTRITO No. 71

No. DE ARCHIVO
[No escriba en este espacio]

1. LUGAR DE DEFUNCIÓN:
(a) Municipio de Utuado
(b) Zona Urbana
[Calle y Número o Barriada]
(c) Zona Rural: Ave. Esteves
[Nombre del Barrio]
(d) Nombre del Hospital o Institución donde ocurrió la Defunción Hosp. Mpal.
(e) Estadía en dicho Hospital o Institución
[Especifique Años, Meses, Días]

2. RESIDENCIA USUAL DEL FALLECIDO:
(a) Municipio de Utuado, P.R.
(b) Zona Urbana
[Calle y Número o Barriada]
(c) Zona Rural B. Viví Arriba - rural
[Nombre del Barrio]
(d) Tiempo de Residencia en este Municipio 36 años
(e) ¿Es ciudadano de país extranjero? no (Si o No)
Si lo es, mencione el país

3. (a) NOMBRE Y APELLIDOS DEL FALLECIDO David Torres Ramos
(b) Si es Veterano, nombre de la Guerra
(c) No. seguridad social

4. Sexo M
5. Color o raza Bl.
6. (a) Soltero S. Casad. Viud. Divorciad.
6. (b) Espos... de: Viud... de: Divorciad... de
Edad si vive
7. Nacido en 1914
[Día] [Mes] [Año]
8. Edad: años 36 | Meses | Días | Si menor de un día Horas Minutos
9. Natural de Utuado P.R.
[Ciudad o Pueblo] [Estado o País]

OCUPACIÓN
10. Oficio, Profesión u Ocupación Bombero
11. (a) Industria o Negocio en que trabajaba Parque de Bombas
(b) Fecha en que trabajó por última vez en esta ocupación [mes y año]
(c) Años que ha trabajado en esta ocupación

PADRE / MADRE
12. Nombre Baldomero Torres
13. Natural de Utuado P.R.
14. Nombre de Soltera Ana Ramos
15. Natural de Utuado P.R.

16. (a) Firma del Informante Demetrio Torres
(b) Dirección Utuado, P.R.
17. (a) Cementerio donde fué enterrado o sitio donde se trasladó el Cadáver en Utuado
(b) Fecha de Inhumación o Traslado Oct 31/1950
18. (a) Firma del Agente Funerario Felipe Cortés
(b) Dirección Utuado P.R.
19. (a) Inscrito hoy 31, Oct. 1950
[Día] [Mes] [Año]
(b) Encargado del Registro

CERTIFICACION MEDICA
20. Fecha de Defunción: Mes Oct. Día 30
Año 1950 Hora 12:06 P.M. Minutos
21. POR LA PRESENTE CERTIFICO QUE: (Complete a o b)
(a) Asistí al fallecido desde Oct. 30 1950 hasta Oct. 30 1950 y que lo vi vivo por última vez en Oct. 30 1950.
(b) No asistí al fallecido y esta Certificación se hace a base de información suministrada por [Nombre del informante], en su carácter de [padre, madre, hermano, amigo, etc.] del fallecido

Causa inmediata de la muerte Herida Bala Cabeza
Debido a
Otras causas
[Anótese embarazo dentro de los 3 meses antes de la defunción]
DURACIÓN: Instantánea

Diagnóstico confirmado por:
(a) Examen de laboratorio
[Mencione el análisis]
(b) Rayos X
(c) Autopsia X
Nombre y fecha de la operación quirúrgica, si la hubo Oct. 30, 1950
Motivo que la requirió

El Médico subrayará la causa que crea debe ser considerada para la clasificación Estadística.

22. Si la muerte fué violenta llene los siguientes apartados:
(a) ¿Accidente, suicidio u homicidio? homicidio
(b) Fecha en que ocurrió Oct. 19
(c) Sitio donde ocurrió Utuado, calle Betances
(d) Especifique la lesión y el arma o instrumento que la causó Frac. del cráneo
23. (a) Nombre del médico R. Domínguez
(b) Firma del médico R. Domínguez M.D.
(c) Fecha Oct. 30/50 19
(d) Dirección Utuado P.R.

Permiso de (Enterramiento) (Traslado) expedido en Oct. 31 1950. Por

No. 269
(Para el Encargado del Registro)

GOBIERNO DE PUERTO RICO
DEPARTAMENTO DE SALUD
NEGOCIADO DE REGISTRO Y ESTADISTICA DEMOGRAFICA

CERTIFICADO DE DEFUNCION

DISTRITO No. 71

No. DE ARCHIVO ______ (No escriba en este espacio)

1. Lugar de Defunción
(a) Municipio de Utuado
(b) Zona Urbana ______ (Calle y Número o Barriada)
(c) Zona Rural: Calle Dr. Cueto (Nombre del Barrio)
(d) Nombre del Hospital o Institución donde ocurrió la Defunción ______
(e) Estadía en dicho Hospital o Institución ______ (Especifique Años, Meses, Días)

2. Residencia Usual del Fallecido:
(a) Municipio de Utuado P.R.
(b) Zona Urbana ______ (Calle y Número o Barriada)
(c) Zona Rural: Bo. Viví Abajo (Nombre del Barrio)
(d) Tiempo de Residencia en este Municipio 30 años
(e) ¿Es ciudadano de país extranjero? No (Sí o No)
Si lo es, mencione el país ______

3. (a) Nombre y Apellidos del Fallecido Heriberto Castro Ríos
(b) Si es Veterano, nombre de la Guerra ______
(c) No. seguridad social ______

4. Sexo M.
5. Color o raza Bl.
6. (a) Solter.... Casad.... Viud.... Divorciad.o
6. (b) Espos... de: Viud... de: Divorciad.o de Olimpia Álvarez Edad si vive ______
7. Nacido en ______ 1920 (Día) (Mes) (Año)
8. Edad: años 30 | Meses | Días | Si menor de un día Horas.... Minutos....
9. Natural de Utuado P.R. (Ciudad o Pueblo) (Estado o País)

OCUPACIÓN
10. Oficio, Profesión u Ocupación Carpintero
11. (a) Industria o Negocio en que trabajaba Carpintería
(b) Fecha en que trabajó por última vez en esta ocupación ______ (mes y año)
(c) Años que ha trabajado en esta ocupación ______

PADRE
12. Nombre Pedro Castro
13. Natural de Utuado P.R.

MADRE
14. Nombre de Soltera Emilia Ríos
15. Natural de Utuado, P.R.

16. (a) Firma del Informante [illegible]
(b) Dirección Utuado P.R.
17. (a) Cementerio donde fué enterrado o sitio donde se trasladó el Cadáver en Utuado
(b) Fecha de Inhumación o Traslado Oct 31/50
18. (a) Firma del Agente Funerario Rafael Rodríguez
(b) Dirección Utuado P.R.
19. (a) Inscrito hoy 31 Oct 1950 (Día) (Mes) (Año)
(b) Encargado del Registro [illegible]

CERTIFICACION MEDICA

20. Fecha de Defunción: Mes Oct. Día 30
Año 1950 Hora 3 P.M. Minutos ______

21. Por la Presente Certifico que: (Complete a o b)
(a) Asistí al fallecido desde ______ 194... hasta ______ 194..., y que lo ví vivo por última vez en ______ 194...
(b) No asistí al fallecido y esta Certificación se hace a base de información suministrada por ______ (Nombre del informante), en su carácter de ______ (padre, madre, hermano, amigo, etc.) del fallecido

Causa inmediata de la muerte Bullet Wound Chest

DURACIÓN:

Debido a ______
Otras causas ______
(Anótese embarazo dentro de los 3 meses antes de la defunción)

Diagnóstico confirmado por:
(a) Examen de laboratorio ______ (Mencione el análisis)
(b) Rayos X ______ (c) Autopsia No
Nombre y fecha de la operación quirúrgica, si la hubo ______
Motivo que la requirió ______

El Médico subrayará la causa que crea debe ser considerada para la clasificación Estadística.

22. Si la muerte fué violenta llene los siguientes apartados:
(a) ¿Accidente, suicidio u homicidio? accidente
(b) Fecha en que ocurrió Oct. 30/50 19...
(c) Sitio donde ocurrió Calle Dr. Cueto
(d) Especifique la lesión y el arma o instrumento que la causó Tiroteo

23. (a) Nombre del médico F. J. Martín
(b) Firma del médico F. J. Martín M.D.
(c) Fecha Oct 31 1950 19...
(d) Dirección Utuado, P.R.

Permiso de (Enterramiento) (Traslado) expedido en Oct. 31 1950 Por [illegible]

No. 268
(Para el Encargado del Registro)

GOBIERNO DE PUERTO RICO
DEPARTAMENTO DE SALUD
NEGOCIADO DE REGISTRO Y ESTADISTICA DEMOGRAFICA

CERTIFICADO DE DEF

DISTRITO No. 71

No. DE ARCHIVO

1. Lugar de Defunción
(a) Municipio de Utuado
(b) Zona Urbana Calle Washington
(c) Zona Rural
(d) Nombre del Hospital o Institución donde ocurrió la Defunción
(e) Estadía en dicho Hospital o Institución
(Especifique Años, Meses, Días)

2. Residencia Usual del Fallecido:
(a) Municipio de Utuado, P
(b) Zona Urbana
(c) Zona Rural: Bo. Sto. Dom
(d) Tiempo de Residencia en este Municipio
(e) ¿Es ciudadano de país extranjero?
Si lo es, mencione el país

3. (a) Nombre y Apellidos del Fallecido Julio Colón Feliciano
(b) Si es Veterano, nombre de la Guerra
(c) No. seguridad social

4. Sexo V
5. Color o raza Bl.
6. (a) Soltero Casad. Viud. Divorciad.
6. (b) Espos... de: Viud... de: Divorciad... de: Edad si vive
7. Nacido en 1928 (Día) (Mes) (Año)
8. Edad: años 22 Meses Días Si menor de un día Horas Minutos
9. Natural de Coamo, P.R. (Ciudad o Pueblo) (Estado o País)

OCUPACION
10. Oficio, Profesión u Ocupación Carpintero
11. (a) Industria o Negocio en que trabajaba Carpintería
(b) Fecha en que trabajó por última vez en esta ocupación (mes y año)
(c) Años que ha trabajado en esta ocupación

PADRE
12. Nombre Arcadio Colón Cartagena
13. Natural de Coamo, P.R.

MADRE
14. Nombre de Soltera Encarnación Feliciano
15. Natural de Coamo, P.R.

16. (a) Firma del Informante Pedro R. Mercado
(b) Dirección Utuado, P.R.
17. (a) Cementerio donde fué enterrado o sitio donde se trasladó el Cadáver En Utuado
(b) Fecha de Inhumación o Traslado Oct. 31/50
18. (a) Firma del Agente Funerario Felipe Ortiz
(b) Dirección Utuado, P.R.
19. (a) Inscrito hoy 31 Oct 1950 (Día) (Mes) (Año)
(b) Encargado del Registro

CERTIFICACION MEDICA

20. Fecha de Defunción: Mes Oct. Día
Año 1950 Hora 2 A Minutos
21. Por la Presente Certifico que: (Complete
(a) Asistí al fallecido desde 19... 194..., y que lo ví vivo p... vez en 194...
(b) No asistí al fallecido y esta Certificación se h... de información suministrada por (Nombre ... informante) en su carácter de (padre, madre, amigo, ...) del fallecido

Causa inmediata de la muerte Bullet wound abdomen
Debido a
Otras causas
(Anótese embarazo dentro de los 3 meses antes de la defunción)
Diagnóstico confirmado por:
(a) Examen de laboratorio (Mencione el análisis)
(b) Rayos X (c) Autopsia
Nombre y fecha de la operación quirúrgica, si la hubo
Motivo que la requirió

El M... rayas... que e... ser co... para... cació... tica

22. Si la muerte fué violenta llene los siguientes apa...
(a) ¿Accidente, suicidio u homicidio? Accid...
(b) Fecha en que ocurrió Oct. 31
(c) Sitio donde ocurrió Calle Washington
(d) Especifique la lesión y el arma o instrumen... causó en lesión
23. (a) Nombre del médico F. J. Martí...
(b) Firma del médico F. J. Martí...
(c) Fecha Oct. 31/50
(d) Dirección Utuado, P.

Permiso de (Enterramiento) (Traslado) expedido en Oct. 31, 1950 Por

No. 270
[Para el Encargado del Registro]

GOBIERNO DE PUERTO RICO
DEPARTAMENTO DE SALUD
NEGOCIADO DE REGISTRO Y ESTADISTICA DEMOGRAFICA

CERTIFICADO DE DEFUNCION

DISTRITO No. 71

No. DE ARCHIVO ______ [No escriba en este espacio]

1. LUGAR DE DEFUNCIÓN:
(a) Municipio de Utuado, P.R.
(b) Zona Urbana ______ [Calle y Número o Barriada]
(c) Zona Rural: Calle Bitancu [Nombre del Barrio]
(d) Nombre del Hospital o Institución donde ocurrió la Defunción ______
(e) Estadía en dicho Hospital o Institución ______ [Especifique Años, Meses, Días]

2. RESIDENCIA USUAL DEL FALLECIDO:
(a) Municipio de Utuado, P.R.
(b) Zona Urbana ______ [Calle y Número o Barriada]
(c) Zona Rural: Bo. Viví Abajo [Nombre del Barrio]
(d) Tiempo de Residencia en este Municipio 20 años
(e) ¿Es ciudadano de país extranjero? no (Sí o No)
Si lo es, mencione el país ______

3. (a) NOMBRE Y APELLIDOS DEL FALLECIDO Jorge Antonio González González
(b) Si es Veterano, nombre de la Guerra ______
(c) No. seguridad social ______

4. Sexo M
5. Color o raza Bl.
6. (a) Solter. o Casad. ___ Viud. ___ Divorciad. ___
6. (b) Espos... de: Viud... de: Divorciad... de ______ Edad si vive ______
7. Nacido en ______ [Día] ______ [Mes] 1930 [Año]
8. Edad: años 20 | Meses | Días | Si menor de un día: Horas ___ Minutos ___
9. Natural de Utuado, P.R. [Ciudad o Pueblo] [Estado o País]

OCUPACIÓN
10. Oficio, Profesión u Ocupación obrero
11. (a) Industria o Negocio en que trabajaba Agrícola
(b) Fecha en que trabajó por última vez en esta ocupación ______ [mes y año]
(c) Años que ha trabajado en esta ocupación 10

PADRE
12. Nombre Jorge González
13. Natural de Utuado, P.R.

MADRE
14. Nombre de Soltera María González
15. Natural de Utuado P.R.

16. (a) Firma del Informante Jorge González
(b) Dirección Utuado P.R.
17. (a) Cementerio donde fué enterrado o sitio donde se trasladó el Cadáver en Utuado
(b) Fecha de Inhumación o Traslado Oct. 31/50
18. (a) Firma del Agente Funerario Municipio
(b) Dirección Utuado P.R.
19. (a) Inscrito hoy 31 oct 1950 [Día] [Mes] [Año]
(b) Encargado del Registro [firma]

CERTIFICACION MEDICA

20. Fecha de Defunción: Mes Oct. Día 31 Año 1950 Hora 2 A.M. Minutos —
21. POR LA PRESENTE CERTIFICO QUE: (Complete a o b)
(a) Asistí al fallecido desde ______ 194... hasta ______ 194..., y que lo vi vivo por última vez en ______ 194...
(b) No asistí al fallecido y esta Certificación se hace a base de información suministrada por ______ [Nombre del informante] ______, en su carácter de ______ [padre, madre, hermano, amigo, etc.] del fallecido

Causa inmediata de la muerte	DURACIÓN:
Bullet Wound Abdomen	
Debido a ______	
Otras causas ______	

[Anótese embarazo dentro de los 3 meses antes de la defunción]

Diagnóstico confirmado por:
(a) Examen de laboratorio ______ [Mencione el análisis]
(b) Rayos X ______ (c) Autopsia ______
Nombre y fecha de la operación quirúrgica, si la hubo ______
Motivo que la requirió ______

El Médico subrayará la causa que crea debe ser considerada para la clasificación Estadística.

22. Si la muerte fué violenta llene los siguientes apartados:
(a) ¿Accidente, suicidio u homicidio? accidente
(b) Fecha en que ocurrió Oct. 31, 1950
(c) Sitio donde ocurrió calle Bitancu
(d) Especifique la lesión y el arma o instrumento que la causó Tiroteo
23. (a) Nombre del médico E. J. Martín
(b) Firma del médico E. J. Martín M.D.
(c) Fecha Oct. 31/50. 19...
(d) Dirección Utuado P.R.

Permiso de (Enterramiento) (Traslado) expedido en Oct 31, 1950 Por [firma]

Testigo de la masacre: Concepción Burdijón

No. 267 (Para el Encargado del Registro)

GOBIERNO DE PUERTO RICO
DEPARTAMENTO DE SALUD
NEGOCIADO DE REGISTRO Y ESTADISTICA DEMOGRAFICA

CERTIFICADO DE DEFUNCION

DISTRITO No. 71

No. DE ARCHIVO ______ (No escriba en este espacio)

1. LUGAR DE DEFUNCIÓN:
(a) Municipio de Utuado
(b) Zona Urbana: Calle Washington (Calle y Número o Barriada)
(c) Zona Rural: (Nombre del Barrio)
(d) Nombre del Hospital o Institución donde ocurrió la Defunción
(e) Estadía en dicho Hospital o Institución (Especifique Años, Meses, Días)

2. RESIDENCIA USUAL DEL FALLECIDO: Utuado P.R.
(a) Municipio de
(b) Zona Urbana: Bo. Viví Abajo (Calle y Número o Barriada)
(c) Zona Rural: (Nombre del Barrio)
(d) Tiempo de Residencia en este Municipio: 32 años
(e) ¿Es ciudadano de país extranjero? (Si o No) Si lo es, mencione el país

3. (a) NOMBRE Y APELLIDOS DEL FALLECIDO: Antonio Ramos Rosario
(b) Si es Veterano, nombre de la Guerra: 2nd. Guerra Mundial
(c) No. seguridad social

4. Sexo: M.
5. Color o raza: Bl.
6. (a) Soltero ___ Casado C. Viudo ___ Divorciado ___
6. (b) Esposo de: Viudo de: Divorciado de: Carta Vinier Edad si vive
7. Nacido en 1918 (Día) (Mes) (Año)
8. Edad: años 32 | Meses | Días | Si menor de un día: Horas ___ Minutos ___
9. Natural de Utuado, P.R. (Ciudad o Pueblo) (Estado o País)

OCUPACIÓN
10. Oficio, Profesión u Ocupación: Obrero
11. (a) Industria o Negocio en que trabajaba: agrícola
(b) Fecha en que trabajó por última vez en esta ocupación (mes y año)
(c) Años que ha trabajado en esta ocupación

PADRE
12. Nombre: José Ramos
13. Natural de: Utuado, P.R.

MADRE
14. Nombre de Soltera: María Rosario
15. Natural de: Utuado, P.R.

16. (a) Firma del Informante: José González
(b) Dirección: Utuado, P.R.
17. (a) Cementerio donde fué enterrado o sitio donde se trasladó el Cadáver: en Utuado
(b) Fecha de Inhumación o Traslado: Oct. 31/50
18. (a) Firma del Agente Funerario: Felipe Cole
(b) Dirección: Utuado P.R.
19. (a) Inscrito hoy 31 Oct 1950 (Día) (Mes) (Año)
(b) Encargado del Registro: [illegible]

CERTIFICACION MEDICA

20. Fecha de Defunción: Mes Oct. Día 31 Año 1950 Hora 2 P. Minutos
21. POR LA PRESENTE CERTIFICO QUE: (Complete a o b)
(a) Asistí al fallecido desde 31 oct 1950 hasta 31 oct 1950 y que lo ví vivo por última vez en 31 oct 1950.
(b) No asistí al fallecido y esta Certificación se hace a base de información suministrada por (Nombre del informante), en su carácter de (padre, madre, hermano, amigo, etc.) del fallecido

Causa inmediata de la muerte: Bullet wound abdomen & chest — DURACIÓN:
Debido a
Otras causas
(Anótese embarazo dentro de los 3 meses antes de la defunción)
Diagnóstico confirmado por:
(a) Examen de laboratorio (Mencione el análisis)
(b) Rayos X ___ (c) Autopsia ___
Nombre y fecha de la operación quirúrgica, si la hubo
Motivo que la requirió

El Médico subrayará la causa que crea debe ser considerada para la clasificación Estadística.

22. Si la muerte fué violenta llene los siguientes apartados:
(a) ¿Accidente, suicidio u homicidio? homicidio
(b) Fecha en que ocurrió Oct 31, 1950
(c) Sitio donde ocurrió calle Washington
(d) Especifique la lesión y el arma o instrumento que la causó: Disparos

23. (a) Nombre del médico: F. J. Martínez
(b) Firma del médico: F. J. Martínez M.D.
(c) Fecha: Oct 31, 1950 19
(d) Dirección: Utuado, P.R.

Permiso de (Enterramiento) (Traslado) expedido en Oct. 31 1950 Por: [illegible]

No. 266
[Para el Encargado del Registro]

GOBIERNO DE PUERTO RICO
DEPARTAMENTO DE SALUD
NEGOCIADO DE REGISTRO Y ESTADISTICA DEMOGRAFICA

CERTIFICADO DE DEFUNCION

DISTRITO No. 71

No. DE ARCHIVO ______ [No escriba en este espacio]

1. Lugar de Defunción:
(a) Municipio de Utuado
(b) Zona Urbana Calle Washington [Calle y Número o Barriada]
(c) Zona Rural [Nombre del Barrio]
(d) Nombre del Hospital o Institución donde ocurrió la Defunción
(e) Estadía en dicho Hospital o Institución [Especifique Años, Meses, Días]

2. Residencia Usual del Fallecido:
(a) Municipio de Arecibo P.R.
(b) Zona Urbana Calle La Pinta [Calle y Número o Barriada]
(c) Zona Rural [Nombre del Barrio]
(d) Tiempo de Residencia en este Municipio 32 años
(e) ¿Es ciudadano de país extranjero? no (Sí o No)
Si lo es, mencione el país

3. (a) Nombre y Apellidos del Fallecido José Rodríguez Alicea
(b) Si es Veterano, nombre de la Guerra Sí 2nd Guerra
(c) No. seguridad social

4. Sexo V.
5. Color o raza B.
6. (a) Soltero ___ Casado C Viudo ___ Divorciado ___
6. (b) Esposo de: Viudo de: Divorciado de: Emilia Rodríguez Edad si vive
7. Nacido en 1918 [Día] [Mes] [Año]
8. Edad: años 32 Meses Días Si menor de un día Horas Minutos
9. Natural de Hatillo, P.R. [Ciudad o Pueblo] [Estado o País]

OCUPACIÓN
10. Oficio, Profesión u Ocupación Guardia Nacional
11. (a) Industria o Negocio en que trabajaba Guardia Nacional
(b) Fecha en que trabajó por última vez en esta ocupación [mes y año]
(c) Años que ha trabajado en esta ocupación

PADRE
12. Nombre Blas Rodríguez Rodríguez
13. Natural de Hatillo P.R.

MADRE
14. Nombre de Soltera Catalina Alicea
15. Natural de Hatillo, P.R.

16. (a) Firma del Informante Ramón Rodríguez Alicea
(b) Dirección Arecibo, P.R.
17. (a) Cementerio donde fué enterrado o sitio donde se trasladó el Cadáver en Arecibo
(b) Fecha de Inhumación o Traslado Oct 31 1950
18. (a) Firma del Agente Funerario Fuquiz González
(b) Dirección Arecibo P.R.
19. (a) Inscrito hoy 31 Oct. 1950 [Día] [Mes] [Año]
(b) Encargado del Registro

CERTIFICACION MEDICA

20. Fecha de Defunción: Mes Oct. Día 31 Año 1950 Hora 2 AM Minutos
21. Por la Presente Certifico que: (Complete a o b)
(a) Asistí al fallecido desde Oct 31, 1950 hasta Oct 31, 1950, y que lo ví vivo por última vez en Oct 31 1950.
(b) No asistí al fallecido y esta Certificación se hace a base de información suministrada por ______ [Nombre del informante] ______, en su carácter de ______ [padre, madre, hermano, amigo, etc.] del fallecido

Causa inmediata de la muerte Bullet Wound Chest
Debido a
Otras causas
[Anótese embarazo dentro de los 3 meses antes de la defunción]
Diagnóstico confirmado por:
(a) Examen de laboratorio [Mencione el análisis]
(b) Rayos X (c) Autopsia
Nombre y fecha de la operación quirúrgica, si la hubo
Motivo que la requirió

Duración:

El Médico subrayará la causa que crea debe ser considerada para la clasificación Estadística.

22. Si la muerte fué violenta llene los siguientes apartados:
(a) ¿Accidente, suicidio u homicidio? Homicidio
(b) Fecha en que ocurrió Oct 31 1950
(c) Sitio donde ocurrió Calle Washington
(d) Especifique la lesión y el arma o instrumento que la causó Pistola

23. (a) Nombre del médico F. J. Maestre
(b) Firma del médico F. J. Maestre M.D.
(c) Fecha Oct. 31, 1950 19
(d) Dirección Utuado P.R.

Permiso de (Enterramiento) (Traslado) expedido en Oct. 31, 1950 Por

Núm. Registro Local (Para ser llenado por el Registrador)

Núm. Registro	Núm. Certificado
7	966

GOBIERNO DE PUERTO RICO
DEPARTAMENTO DE SALUD
NEGOCIADO DE REGISTRO DEMOGRAFICO Y ESTADISTICAS

Certificado de Defunción

Número de la Defunción (Para ser llenado en el Negociado)

Número Territorial: 152

1. Lugar de Defunción — a. Municipio: Utuado PR
b. Ciudad o Pueblo: Utuado
c. Tiempo de Estadía: 1 hora
d. Nombre Completo del Hospital o Institución: Hosp. Mpal. Utuado — e. Tiempo de Estadía en este lugar: 10 min.

2. Residencia Habitual del Fallecido — a. Municipio: Lares PR
c. Ciudad: Rural Bo. Callejones
d. Dirección: Bo. Callejones

3. Nombre del Fallecido: Luis Rivera Cardona

4. Fecha de la Defunción: Oct 31-1950

8. Fecha del Nacimiento: 1912 — 9. Edad (en años): 38

10a. Ocupación Usual: Obrero

11. Natural de: Municipio Lares — Estado o País: PR

12. ¿De qué País era Ciudadano?: EUA

13. Nombre y Apellido del Padre: Pedro Rivera — 13a. Natural de: Municipio Lares — Estado o País: PR

14. Nombre de Soltera de la Madre: Joaquina Cardona — 14a. Natural de: Municipio Lares — Estado o País: PR

15. ¿Perteneció el Fallecido alguna vez a las Fuerzas Armadas de EE. UU.?: No

17. Informante — Nombre: Gregorio Rivera — Relación con Fallecido: Hermano

CERTIFICACION MEDICA

18. Causa de Muerte — I. Enfermedad o Causa Inmediata que produjo la Muerte: Hemorragia externa
Debido a: Sección arteria ...
Debido a: Herida de bala

II. Otras Condiciones de Importancia: Ninguno

19a. Fecha de la Operación: No — 19b. Hallazgos más Importantes de la Operación: No

20. ¿Se Practicó Autopsia?: Sí

21a. Accidente / Suicidio / Homicidio — 21b. Lugar donde ocurrió la Lesión: Calle — 21c. Municipio: Utuado — Estado o País: P.R.

21d. Fecha y Hora: Oct 31-1950 5 PM — 21f. ¿Cómo ocurrió la Lesión?: Atacado en la calle

23a. Médico — Nombre: W. Fitzmayer — 23b. Dirección: Hosp. de Distrito

24a. Enterramiento — Fecha: Oct 31-1950 — 24c. Dirección: Lares

Fecha de Recibo: Oct 31-1950 — Firma del Registrador: Miguel A. Hernández — Director Funerario: San Juan Luis

No. 271
[Para el Encargado del Registro]

GOBIERNO DE PUERTO RICO
DEPARTAMENTO DE SALUD
NEGOCIADO DE REGISTRO Y ESTADISTICA DEMOGRAFICA

CERTIFICADO DE DEFUNCION

DISTRITO No. 71

No. DE ARCHIVO
[No escriba en este espacio]

1. Lugar de Defunción:
(a) Municipio de Utuado,
(b) Zona Urbana
(Calle y Número o Barriada)
(c) Zona Rural: Calle Betances
[Nombre del Barrio]
(d) Nombre del Hospital o Institución donde ocurrió la Defunción Clínica Carrasquillo
(e) Estadía en dicho Hospital o Institución
[Especifique Años, Meses, Días]

2. Residencia Usual del Fallecido:
(a) Municipio de Utuado P.R.
(b) Zona Urbana
(Calle y Número o Barriada)
(c) Zona Rural: Bo.
[Nombre del Barrio]
(d) Tiempo de Residencia en este Municipio
(e) ¿Es ciudadano de país extranjero? (Si o No)
Si lo es, mencione el país

3. (a) Nombre y Apellidos del Fallecido Agustín Quiñones Mercado
(b) Si es Veterano, nombre de la Guerra
(c) No. seguridad social

4. Sexo V.
5. Color o raza Bl.
6. (a) Solter... Casad... Viud... Divorciad...
6. (b) Espos de: Viud... de: Divorciad... de Carmen C. Pérez. Edad si vive
7. Nació en 1913
[Día] [Mes] [Año]
8. Edad: años 37 Meses 7 Días Si menor de un día Horas... Minutos...
9. Natural de Lares, P.R.
[Ciudad o Pueblo] [Estado o País]

OCUPACIÓN
10. Oficio, Profesión u Ocupación Hojalatero
11. (a) Industria o Negocio en que trabajaba Hojalatería
(b) Fecha en que trabajó por última vez en esta ocupación
[mes y año]
(c) Años que ha trabajado en esta ocupación

PADRE
12. Nombre Juan Quiñones
13. Natural de Lares P.R.

MADRE
14. Nombre de Soltera Juana Mercado
15. Natural de Lares P.R.

16. (a) Firma del Informante Felipe Cortés
(b) Dirección Utuado P.R.
17. (a) Cementerio donde fué enterrado o sitio donde se trasladó el Cadáver en Utuado,
(b) Fecha de Inhumación o Traslado Nov. 1/50
18. (a) Firma del Agente Funerario Felipe Cortés
(b) Dirección Utuado P.R.
19. (a) Inscrito hoy 1 Nov. 1950
[Día] [Mes] [Año]
(b) Encargado del Registro

CERTIFICACION MEDICA

20. Fecha de Defunción: Mes Nov. Día 1
Año 1950 Hora 1:30 A.M. Minutos

21. Por la Presente Certifico que: (Complete a o b)
(a) Asistí al fallecido desde 31 Oct. 1950 hasta 31 Oct. 1950 y que lo ví vivo por última vez en Nov. 1 1950.
(b) No asistí al fallecido y esta Certificación se hace a base de información suministrada por... [Nombre del informante] en su carácter de... [padre, madre, hermano, amigo, etc.] del fallecido

Causa inmediata de la muerte Shock
Amputación
Debido a Traumática muslo derecho
Otras causas
[Anótese embarazo dentro de los 3 meses antes de la defunción]

Duración: 23 hrs.

Diagnóstico confirmado por:
(a) Examen de laboratorio
[Mencione el análisis]
(b) Rayos X
(c) Autopsia No
Nombre y fecha de la operación quirúrgica, si la hubo Amputación pierna
Motivo que la requirió

El Médico subrayará la causa que crea debe ser considerada para la clasificación Estadística

22. Si la muerte fué violenta llene los siguientes apartados:
(a) ¿Accidente, suicidio u homicidio? accidente
(b) Fecha en que ocurrió Oct. 31, 1950 19...
(c) Sitio donde ocurrió calle Washington
(d) Especifique la lesión y el arma o instrumento que la causó Tiroteo por policía

23. (a) Nombre del médico
(b) Firma del médico M.D.
(c) Fecha Nov. 1, 1950 19...
(d) Dirección Utuado P.R.

Permiso de (Enterramiento) (Traslado) expedido en Nov. 1, 1950 Por

No. 272
[Para el Encargado del Registro]

GOBIERNO DE PUERTO RICO
DEPARTAMENTO DE SALUD
NEGOCIADO DE REGISTRO Y ESTADISTICA DEMOGRAFICA

CERTIFICADO DE DEFUNCION

DISTRITO No. 71

No. DE ARCHIVO ____ [No escriba en este espacio]

1. LUGAR DE DEFUNCIÓN:
(a) Municipio de Utuado
(b) Zona Urbana Calle Betances [Calle y Número o Barriada]
(c) Zona Rural: [Nombre del Barrio]
(d) Nombre del Hospital o Institución donde ocurrió la Defunción Clinica San Miguel
(e) Estadía en dicho Hospital o Institución [Especifique Años, Meses, Días]

2. RESIDENCIA USUAL DEL FALLECIDO:
(a) Municipio de Utuado
(b) Zona Urbana [Calle y Número o Barriada]
(c) Zona Rural Bo. Arenas—rural [Nombre del Barrio]
(d) Tiempo de Residencia en este Municipio
(e) ¿Es ciudadano de país extranjero? no. (Sí o No)
Si lo es, mencione el país

3. (a) NOMBRE Y APELLIDOS DEL FALLECIDO Carlos Irizarry Rivera
(b) Si es Veterano, nombre de la Guerra no — 2nd Guerra
(c) No. seguridad social

4. Sexo V. | 5. Color o raza Bl. | 6. (a) Solter o Casad... Viud... Divorciad...

6. (b) Espos... de: Viud... de: Divorciad... de: Edad si vive

7. Nacido en 1920 [Día] [Mes] [Año]

8. Edad: años 30 | Meses | Días | Si menor de un día Horas 7 Minutos

9. Natural de Jayuya P.R. (Ciudad o Pueblo) (Estado o País)

OCUPACIÓN
10. Oficio, Profesión u Ocupación estudiante
11. (a) Industria o Negocio en que trabajaba U.P.R.
(b) Fecha en que trabajó por última vez en esta ocupación [mes y año]
(c) Años que ha trabajado en esta ocupación

PADRE
12. Nombre Francisco Irizarry
13. Natural de Jayuya P.R.

MADRE
14. Nombre de Soltera Amalia Rivera
15. Natural de Jayuya P.R.

16. (a) Firma del Informante Felipe Cortés
(b) Dirección Utuado P.R.

17. (a) Cementerio donde fué enterrado o sitio donde se trasladó el Cadáver en Utuado
(b) Fecha de Inhumación o Traslado Nov. 1, 1950

18. (a) Firma del Agente Funerario Felipe Cortés
(b) Dirección Utuado P.R.

19. (a) Inscrito hoy Nov. 1 1950 [Día] [Mes] [Año]
(b) Encargado del Registro

CERTIFICACION MEDICA

20. Fecha de Defunción: Mes Nov. Día 1 Año 1950 Hora 1.30 A.M. Minutos

21. POR LA PRESENTE CERTIFICO QUE: (Complete a o b)
(a) Asistí al fallecido desde 31 Oct. 1950 hasta Nov. 1, 1950, y que lo ví vivo por última vez en Nov. 1, 1950.
(b) No asistí al fallecido y esta Certificación se hace a base de información suministrada por [Nombre del informante], en su carácter de [padre, madre, hermano, amigo, etc.] del fallecido

Causa inmediata de la muerte Shock, Infección pulmonar
Debido a la herida a tenía
Otras causas de bala
DURACIÓN: 30 horas

[Anótese embarazo dentro de los 3 meses antes de la defunción]

Diagnóstico confirmado por:
(a) Examen de laboratorio [Mencione el análisis]
(b) Rayos X (c) Autopsia No
Nombre y fecha de la operación quirúrgica, si la hubo
Motivo que la requirió

El Médico subrayará la causa que crea debe ser considerada para la clasificación Estadística.

22. Si la muerte fué violenta llene los siguientes apartados:
(a) ¿Accidente, suicidio u homicidio? accidental
(b) Fecha en que ocurrió Oct. 31, 1950
(c) Sitio donde ocurrió Jayuya P.R.
(d) Especifique la lesión y el arma o instrumento que la causó Tiroteo con Policía

23. (a) Nombre del médico F. J. Martí
(b) Firma del médico F. J. Martí M.D.
(c) Fecha Nov. 1, 1950
(d) Dirección Utuado P.R.

Permiso de (Enterramiento) (Traslado) expedido en Nov. 1 1950 Por

NOTAS

No. 281
(Para el Encargado del Registro)

GOBIERNO DE PUERTO RICO
DEPARTAMENTO DE SALUD
NEGOCIADO DE REGISTRO Y ESTADISTICA DEMOGRAFICA

CERTIFICADO DE DEFUNCION

DISTRITO No. 71

No. DE ARCHIVO............ (No escriba en este espacio)

1. Lugar de Defunción Utuado
(a) Municipio de
(b) Zona Urbana Calle Betances
(Calle y Número o Parada)
(c) Zona Rural
(Nombre del Barrio)
(d) Nombre del Hospital o Institución donde ocurrió la Defunción Clínica San Miguel
(e) Estadía en dicho Hospital o Institución 11 días
(Especifique Años, Meses, Días)

2. Residencia Usual Utuado, P.R.
(a) Municipio de
(b) Zona Urbana Calle San Fco.
(Calle y Número o Parada)
(c) Zona Rural
(Nombre del Barrio)
(d) Tiempo de Residencia en este Municipio
(e) ¿Es ciudadano de país extranjero? no (Sí o No)
Si lo es, mencione el país

3. (a) Nombre y Apellidos del Fallecido José Alvarez de Jesús
(b) Si es Veterano, nombre de la Guerra
(c) No. seguridad social

4. Sexo V
5. Color o raza
6. (a) Soltero... Casado... Viudo... Divorciado...
6. (b) Esposo... de, Viudo... de, Divorciado... de Rafaela Gonzalez
Edad si vive
7. Nacido en 1922
(Día) (Mes) (Año)
8. Edad: años 28 Meses Días Si menor de un día Horas Minutos
9. Natural de Utuado, P.R.
(Ciudad o Pueblo) (Estado o País)

OCUPACION
10. Oficio, Profesión u Ocupación
11. (a) Industria o Negocio en que trabajaba Deshabilitado
(b) Fecha en que trabajó por última vez en esta ocupación (mes y año)
(c) Años que ha trabajado en esta ocupación

PADRE
12. Nombre José Alvarez
13. Natural de Jayuya, P.R.

MADRE
14. Nombre de Soltera
15. Natural de Utuado P.R.

16. (a) Firma del Informante
(b) Dirección Utuado P.R.
17. (a) Cementerio donde fué enterrado o lugar donde fué trasladó el Cadáver en Utuado
(b) Fecha de Inhumación o Traslado Nov. 10/50
18. (a) Firma del Agente Funerario
(b) Dirección Utuado P.R.
19. (a) Inscrito hoy 10 de Nov. 1950
(Día) (Mes) (Año)
(b) Encargado del Registro

CERTIFICACION MEDICA

20. Fecha de Defunción: Mes Nov. Día 9
Año 1950, Hora 7:30 P.M. Minutos
21. Por la Presente Certifico que: (Complete a o b)
(a) Asistí al fallecido desde Oct. 30 1950 hasta Nov. 1950 y que lo vi vivo por última vez en Nov. 1950
(b) No asistí al fallecido y esta Certificación se hace a base de información suministrada por (Nombre del informante) en su carácter de (padre, madre, hermano, amigo, etc.) del fallecido

Causa inmediata de la muerte Peritonitis
Debido a Absceso en el abdomen
Otras causas
(Anótense solamente dentro de los 3 meses antes de la defunción)
Duración

Diagnóstico confirmado por:
(a) Examen de laboratorio (Mencione el análisis)
(b) Rayos X.... (c) Autopsia no
Nombre y fecha de la operación quirúrgica, si la hubo Oct. 31, 1950
Motivo que la requirió

El Médico subrayará la causa que crea debe ser considerada para la clasificación Estadística.

22. Si la muerte fué violenta llene los siguientes apartados:
(a) ¿Accidente, suicidio u homicidio?
(b) Fecha en que ocurrió Oct. 30 1950
(c) Sitio donde ocurrió
(d) Especifique la lesión y el arma o instrumento que la causó

23. (a) Nombre del médico
(b) Firma del médico M.D.
(c) Fecha Nov. 10, 1950
(d) Dirección Utuado P.R.

Permiso de (Enterramiento) (Traslado) expedido en Nov. 10, 1950 Por

Apéndice 4. La Masacre de Utuado, Dibujos y textos de Pedro Matos

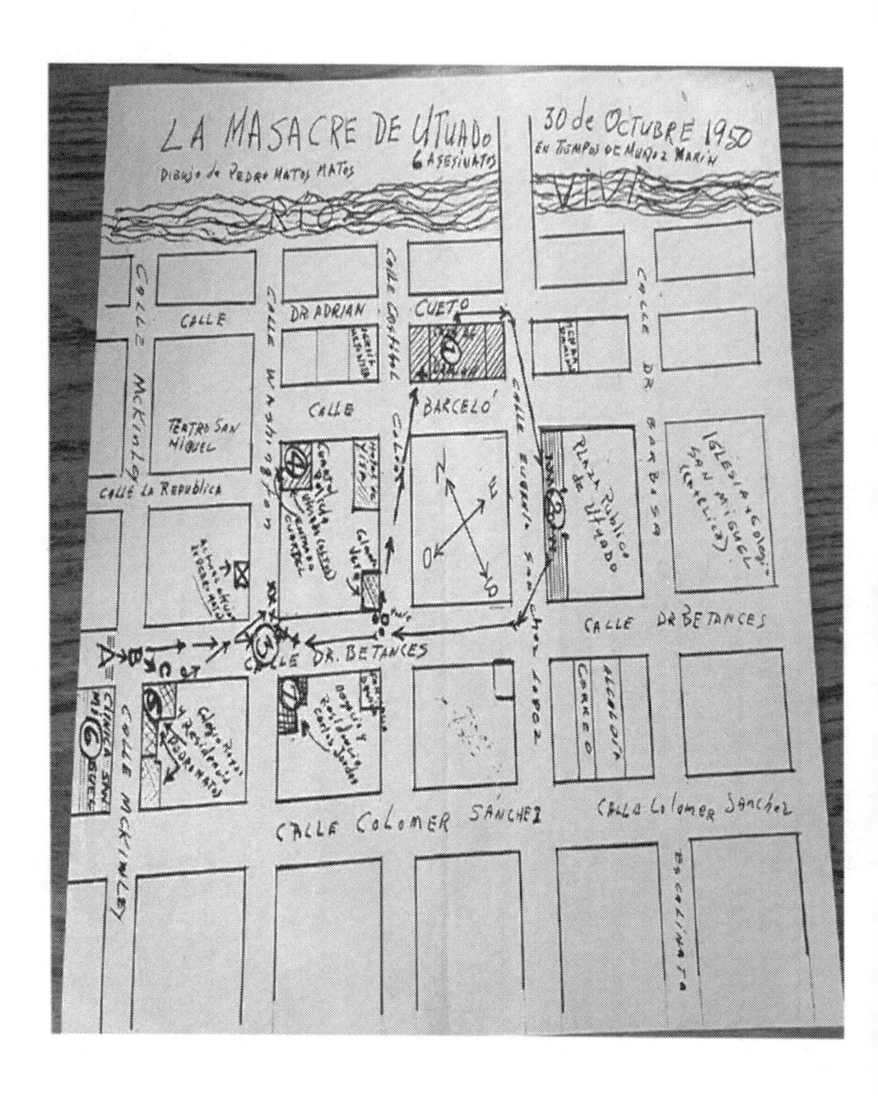

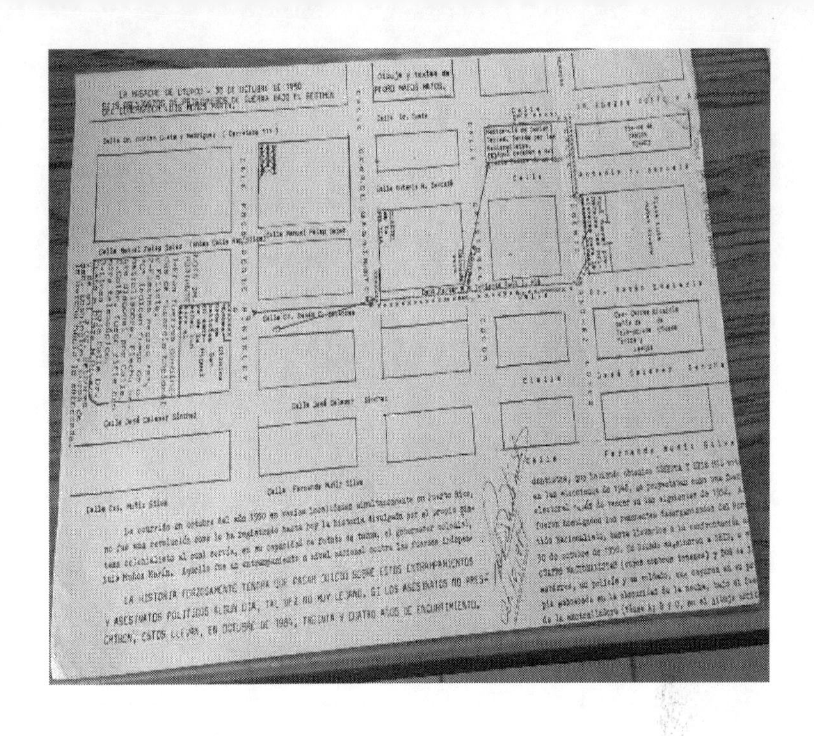

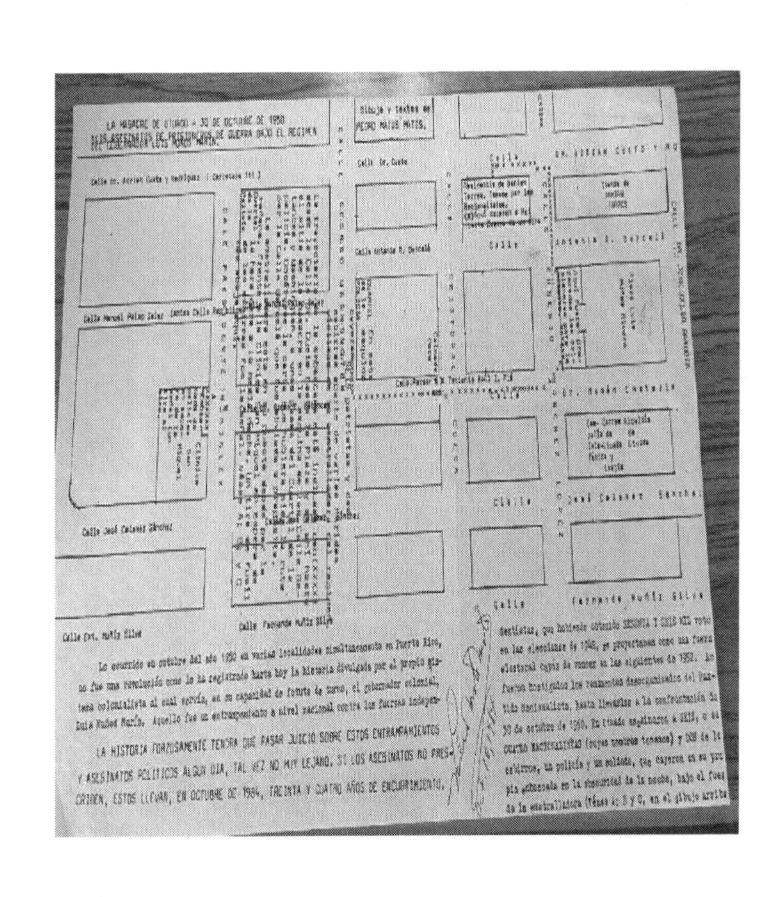
LA MASACRE DE UTUADO – 30 DE OCTUBRE DE 1950
SEIS ASESINATOS DE PRISIONEROS DE GUERRA BAJO EL REGIMEN DEL GOBERNADOR LUIS MUÑOZ MARIN.
Dibujo y textos de PEDRO MATOS MATOS.
Calle Dr. Cueto
Lo ocurrido en octubre del año 1950 en varias localidades simultaneamente en Puerto Rico, no fue una revolución como lo ha registrado hasta hoy la historia divulgada por el propio sistema colonialista al cual servía, en su capacidad de fututo de turno, el gobernador colonial, Luis Muñoz Marín. Aquello fue un entrampamiento a nivel nacional contra las fuerzas indepen-
LA HISTORIA FORZOSAMENTE TENDRA QUE PASAR JUICIO SOBRE ESTOS ENTRAMPAMIENTOS Y ASESINATOS POLITICOS ALGUN DIA, TAL VEZ NO MUY LEJANO. SI LOS ASESINATOS NO PRESCRIBEN, ESTOS LLEVAN, EN OCTUBRE DE 1984, TREINTA Y CUATRO AÑOS DE ENCUBRIMIENTO.

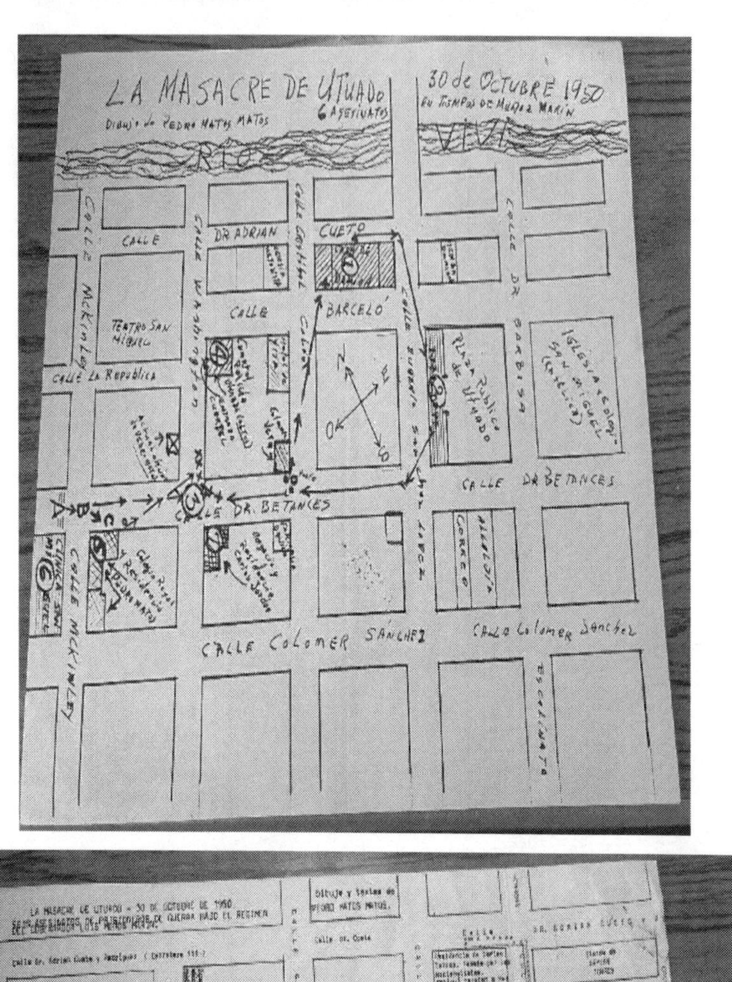
LA MASACRE DE UTUADO
30 de OCTUBRE 1950
Dibujo de Pedro Matos Matos
6 ASESINATOS
RIO
VIVI
CALLE
DR ADRIAN
CUETO
CALLE MCKINLEY
TEATRO SAN MIGUEL
CALLE La Republica
BARCELÓ
PLAZA PUBLICA DE UTUADO
CALLE DR BETANCES
CORREO
CALLE COLOMER SÁNCHEZ
Escalinata

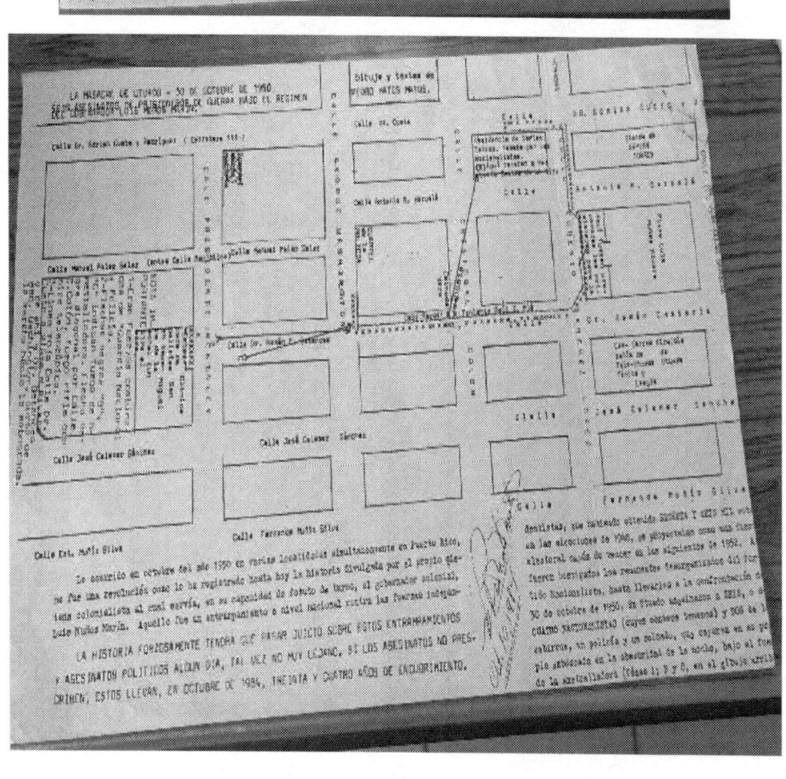
LA MASACRE DE UTUADO - 30 DE OCTUBRE DE 1950
Dibujo y textos de PEDRO MATOS MATOS.
LA HISTORIA FORZOSAMENTE TENDRA QUE PASAR JUICIO SOBRE ESTOS ENTRAMPAMIENTOS
Y ASESINATOS POLITICOS ALGUN DIA, TAL VEZ NO MUY LEJANO. SI LOS ASESINATOS NO PRES-
CRIBEN, ESTOS LLEVAN, EN OCTUBRE DE 1984, TREINTA Y CUATRO AÑOS DE ENCUBRIMIENTO.

DATOS Y PUBLICACIONES RECIENTES DEL AUTOR

Rubén Maldonado Jiménez nació en Utuado, Puerto Rico. Realizó estudios elementales y secundarios en las escuelas públicas de ese pueblo. Hizo estudios graduados en la Universidad de Puerto Rico, Recinto de Río Piedras. En mayo de 1981, terminó en esa institución una maestría y luego en el 1996 completó un doctorado en educación con concentración en historia. Más tarde, en agosto de 1999 en esta misma institución comenzó un doctorado en historia con concentración en Puerto Rico y el Caribe, el cual interrumpió y retomó en el 2015. En diciembre de 2020, concluyó ese grado con la disertación *La resistencia antiesclavista de la mujer en Puerto Rico, 1806 – 1873*, publicada con algunas modificaciones. Es catedrático retirado de la Universidad de Puerto Rico, Recinto de Río Piedras.

Entre sus publicaciones más recientes en formato electrónico o en papel se encuentran:

1. Vigilados, criminalizados y demonizados por la intolerancia ideológico-política: la persecución al magisterio en Puerto Rico, Amazon.com, 2023.

2. Las montañas utuadeñas como guaridas solidarias con la liberación de cimarrones y cimarronas (1820-1871), Amazon.com,2021.
3. Las Marías cimarronas revolucionarias, Amazon.com, 2021
4. La resistencia antiesclavista de la mujer en Puerto Rico, 1806 – 1873, Amazon.com, 2021
5. Una mirada crítica a la historiografía sobre la educación en Puerto Rico, Amazon.com, 2018.
6. A 100 años de la muerte de Ramón Juliá Marín: su poesía, Amazon.com, Primera edición, Amazon, 2018.
7. *Acercamiento al socialismo del siglo XXI en América Latina (2000-2017)*, Editorial Académica Española, Primera edición, 2018.

1. Jesús María Lago Quiñonez (1873-1929): aproximación a su vida y obra, Amazon. COM, Primera edición, 2017.

2. La vertiente político-social en la poesía de Guillermo Gutiérrez Morales, Amazon. COM, Primera edición, 2015.

3. Crónicas de la Montaña, Amazon. COM, Primera edición, 2014.

4. Historia de la educación en Utuado: 1800-1898, Amazon. COM, Primera edición, sep. 2032, Segunda edición revisada, oct. 2013, Edición Revisada y ampliada, 2014.

5. Ramón Juliá Marín: Cambio de vida (cuentos y narraciones de principios de siglo XX), Amazon. COM, 2013.

6. Historia general de la poesía en Utuado, Amazon. COM, Primera edición, 2012, Segunda edición aumentada, 2013.
7. ¡He llorado tantas veces al recordar el río de mi pueblo! Notas sobre la vida y obra periodística de Ramón Juliá Marín, Amazon. COM, 2012.
8. Vida y obra de Francisco Ramos Sánchez, Editorial Nueva Provincia, 2011, 2 da. Edición Electrónica y en papel Amazon. COM, 2012.
9. Panorama General de la poesía en Utuado, Ediciones Nueva Provincia, 2004. Cuarta edición revisada y aumentada en papel y electrónica, Amazon. COM, 2013.
10. Historia y educación: Acercamiento a la historia social de la educación, Editorial de la Universidad de Puerto Rico, 2001.
11. ¿Hasta cuándo? La lucha de los maestros por justicia salarial, antes y después de la invasión de Estados Unidos a Puerto Rico: 1880-1901, Auspiciado por la Asociación Puertorriqueña de Profesores Universitarios (APPU), Primera edición, febrero 1998
12. La huelga de maestros del 3 de noviembre de 1993 y la resistencia a la ley núm. 18 ("Escuelas de la comunidad") en Puerto Rico, Primera edición, 1996.

Made in the USA
Columbia, SC
25 July 2024